课程透视

成尚荣 著

大夏书系·成尚荣教育文丛

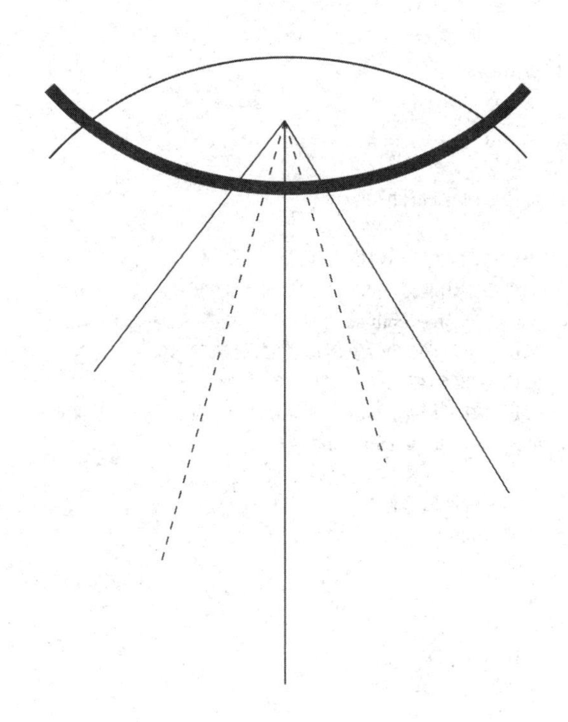

图书在版编目（CIP）数据

课程透视／成尚荣著.—上海：华东师范大学出版社，2017
ISBN 978-7-5675-6623-1

Ⅰ.①课… Ⅱ.①成… Ⅲ.①基础教育—课堂教学—教学研究
Ⅳ.① G632.421

中国版本图书馆 CIP 数据核字（2017）第 162400 号

大夏书系·成尚荣教育文丛

课程透视

著　　者　成尚荣
策划编辑　李永梅　林茶居
特约编辑　杨　健
审读编辑　卢风保
封面设计　奇文云海·设计顾问

出版发行　华东师范大学出版社
社　　址　上海市中山北路 3663 号　邮编　200062
网　　址　www.ecnupress.com.cn
电　　话　021-60821666　行政传真　021-62572105
客服电话　021-62865537
邮购电话　021-62869887　地址　上海市中山北路 3663 号华东师范大学校内先锋路口
网　　店　http：//hdsdcbs.tmall.com

印 刷 者　北京季蜂印刷有限公司
开　　本　700×1000　16 开
插　　页　1
印　　张　16.5
字　　数　236 千字
版　　次　2018 年 4 月第一版
印　　次　2018 年 7 月第二次
印　　数　6 101-9 100
书　　号　ISBN 978-7-5675-6623-1/G·10461
定　　价　52.00 元

出 版 人　王　焰

目 录

CONTENTS

第三辑　课程创新：智慧与品质

第四辑 课程隐喻：洞察与阐释

CURRICULUM

自序　在更大的坐标上讲述自己的故事

曾经犹豫很久，不知丛书的自序究竟说些什么，从哪里说起，怎么说。后来，我想到，丛书是对自己人生的第一次小结，而人生好比是个坐标，人生的经历以及小结其实是在坐标上讲述自己的故事。于是自序就定下了这个题目。

与此同时，我又想到故事总是一节一节的，一段一段的，可以分开读，也可以整体地去读。因此，用“一、二、三……”的方式来表达，表达人生的感悟。

一、尚可：对自己发展状态的认知

我的名字是“尚荣”二字。曾记得，原来写的是“上荣”，不知何人、何时，也不知何因改成“尚荣”了。那时，家里人没什么文化，我们又小，改为“尚荣”绝对没有什么文化的考量，但定有些什么不知所云的考虑。

我一直认为“尚荣”这名字很露，不含蓄，也很俗，不喜欢，很不喜欢。不过，现在想想，“尚荣”要比“上荣”好多了，谦逊多了，也好看一点。我对“尚荣”的解读是“尚可”，其含义是，一定要处在“尚可”

的认知状态，然后才争取从尚可走向尚荣的理想状态。

这当然是一种自我暗示和要求。我认为，人不能喧闹，不能作秀，更不能炫耀（何况还没有任何可以炫耀的资本）。但人不能没有精神，不能没有思想，我一直要求自己做一个有追求的人，做一个精神灿烂的人。正是“尚可”“尚荣”架构起我人生的坐标。尚可，永远使我有种觉醒和警惕，无论有什么进步、成绩，只是“尚可”而已；尚荣，永远有一种想象和追求，无论有什么进展、作为，只不过是“尚荣”而已。这一发展坐标，也许是冥冥之中人生与我的约定以及对我的承诺。我相信名字的积极暗示意义。

二、走这么久了，才知道现在才是开始

我是一只起飞很迟的鸟，不敢说“傍晚起飞的猫头鹰”，也不愿说“夕阳无限好，只是近黄昏”。说起飞很迟，是因为61岁退休后才安下心来，真正地读一点书，写一点小东西，在读书和写作中，生发出一点想法，然后把这些想法整理出来，出几本书，称作“文丛”。在整理书稿时，突然之间有了一点领悟。

第一点领悟：年龄不是问题，走了那么久，才知道，原来现在才是开始。人生坐标上的那个起点，其实是不确定的，任何一个点都可以成为起点；起点也不是固定的某一个，而是一个个起点串联起发展的一条曲线。花甲之年之后，我才开始明晰，又一个起点开始了，真正的起点开始了。这个点，就是退休时，我在心里默默地说的：我不能太落后。因为退休了，不在岗了，人一般会落后，但不能太落后。不能太落后，就必须把过去的办公桌，换成今天家里的那张书桌，书桌告诉我，走了那么久，坐在书桌前，才正是开始。所以，年龄真的不是问题，起点是自己把握的。

第二点领悟：人生是一首回旋曲，总是要回到童年这一人生根据地去。小时候，我的功课学得不错，作文尤其好。那时，我有一个巴望：巴望老师早点发作文本。因为发作文本之前，总是读一些好作文，我的作文

常常被老师当作范文；也常听说，隔壁班的老师也拿我的作文去读。每当那个激动人心的时刻来临，我会想入非非：总有一天要把作文登在报刊上，尤其是一定要在《新华日报》上刊登一篇文章。童年的憧憬和想象是种潜在的力量。一个人童年时代有没有一点想入非非，今后的发展还是不同的。和过去的学生聚会，他们也逐渐退休了，有的也快70岁了。每每回忆小学生活，总忆起那时候我读他们的作文。文丛出了，我似乎又回到了自己的童年时代。童年，那是我人生的根据地；人总是在回旋中建构自己的历史，建构自己的坐标，总得为自己鸣唱一曲。

第三点领悟：人的发展既可以规划又不能规划，最好的发展是让自己“非连续发展”。最近我很关注德国教育人类学家博尔诺夫的“非连续”教育理论。博尔诺夫说，人是可以塑造的，但塑造的观点即连续性教育理论是不完整的，应当作重要调整和修正，而非连续性教育倒是对人的发展具有根本的意义。我以为，非连续性教育可以迁移到人的非连续性发展上。所谓非连续性发展，是要淡化目的、淡化规划，是非功利的、非刻意的。我的人生好像用得上非连续发展理论。如果你功利、浮躁、刻意，会让你产生“目的性颤抖”。人的发展应自然一点，“随意”一点，对学生的教育亦应如此，最好能让他们跳出教育的设计，也让名师的发展跳开一点。只有“尚可”，才会在不满足感中再向前跨一点。

三、坐标上的原点：追寻和追赶

文丛实质上是我的一次回望，回望自己人生发展的大概图景，回望自己的坐标，在坐标上讲述自己的故事。回望不是目的，找到那个点才最为重要。我要寻找的是那个坐标上的原点，它是核心，是源泉，是出发点，也是回归点。找到原点，才能架构人生发展的坐标，才会有真故事可讲。

那个点是什么呢？它在哪里呢？

它在对人生意义的追寻中。我一直坚信这样的哲学判断：人是意义的创造者，但人也可以是意义的破坏者。我当然要做意义的创造者。问题是何为意义。我认定的意义是人生的价值，既是个人存在和发展的价值，也是对他人对教育对社会产生的一点影响。而意义有不同的深度，价值也有不同的高度。值得注意的是，人生没有统一的深度和高度，也没有统一的进度和速度，全在自己努力，不管从什么时候开始，你努力了，达到自己的高度才重要，把握自己的进度才合适。而所谓的努力，对我来说就是两个字：追赶。因为我的起点低，基础薄弱，非“补课”不可，非追赶不可。其实，追赶不仅是态度，它本身就是一种意义。

我追赶青春的步伐。路上行走，我常常不自觉地追赶年轻人的脚步，从步幅到步频。开始几分钟，能和年轻人保持一致，慢慢地赶不上了。过了几分钟，我又找年轻人作对象，去追赶他们的脚步，慢慢地，又落后了。追赶不上，我不遗憾，因为我的价值在于追求。这样做，只是对自己的要求，是想回到青年时代去，想再做一回年轻人，也是向年轻人学习，是向青春致敬的一种方式。有了青春的步伐，青春的心态，才会有青春的书写。

我追赶童心。我曾不止一次地引用作家陈祖芬的话：人总是要长大的，但眼睛不能长大；人总是要变老的，但心不能变老。不长大的眼是童眼，不老的心是童心。童心是可以超越年龄的，只要有童心，就会有童年，就会有创造。我自以为自己有颗不老的童心，喜欢和孩子说话，喜欢和年轻人对话，喜欢看绘本，喜欢想象，喜欢天上云彩的千变万化，看到窗前的树叶飘零了，我会有点伤感。追赶童心，让我有时激动不已。

我追赶时代的潮流。我不追求时尚，但是我不反对时尚，而且关注时尚。同时，我更关注时代的潮流，课程的，教学的，教育的，儿童的，教师的；经济的，科技的，社会的，哲学的，文化的。有人请我推荐一本杂志，我毫不犹豫地推荐《新华文摘》，因为它的综合性，让我捕捉到学术发展的前沿信息。每天我要读好几种报纸，报纸以最快的速度传递时代的信息，我会从中触摸时代的走向和潮流。读报并非消遣，而是让其中一则消息触动我的神经。

所有的追赶，都是在寻觅人生的意义。人生坐标，当是意义坐标。意义坐标，让我不要太落后，让我这只迟飞的鸟在夕阳晚霞中飞翔，至于它落在哪个枝头，都无所谓。迟飞，并不意味着飞不高飞不远，只要是有意义的飞翔，都代表了自己世界中的高度和速度。

四、大胸怀：发展的坐标要大些

人生的坐标，其实是发展的格局，坐标要大，就是格局要大。我家住傅厚岗。傅厚岗曾住过几位大家——徐悲鸿、傅抱石、林散之，还有李宗仁。我常在他们的故居前驻足，见故屋，如见故人。徐悲鸿说，一个人不能有傲气，但一定要有傲骨；傅抱石对小女傅益瑶说，不要做文人，做一个有文化的人，重要的是把自己的胸襟培养起来。徐悲鸿、傅抱石的话对我启发特别大。我的理解是：大格局来自大胸怀，胸怀大是真正的大；大格局不外在于他人，而是内在于人的心灵。而胸怀与视野联系在一起。于是，大视野、大胸怀带来大格局，大格局才会带来大一点的智慧，人才能讲一点更有内涵、更有分量的故事。这是我真正的心愿。

大胸怀下的大格局，是由时间与空间架构成的坐标。用博尔诺夫的观点看，空间常常有个方向：垂直方向、水平方向和点。垂直方向引导我们向上，向天空，向光明；水平方向引导我们向前；点则引导我们要有一个立足点。无论是向上，还是向前，还是选择一个立足点，都需要努力，都需要付出。而时间则是人类发展的空间。时间特别引导人应当有明天性。明天性，即未来性，亦即向前性和向上性。所以，实践与空间构筑了人生的坐标，这样的坐标是大坐标。

五、对未来的慷慨：把一切献给现在

在这样的更大坐标中，需要我们处理好现实与未来的关系。我非常欣赏这样的表述：对未来的慷慨，是把所有的一切都献给现在。其意不难理解：不做好现在哪有什么未来？因此想要在更大的坐标上讲述故事，则要从现在开始，只有着力讲好今天的故事，才有明天的故事。有一点，我做得还是比较好的：不虚度每一天，读书、读报、思考、写作成为一天的主要生活内容，也成了我的生活方式。有老朋友对我的评价是：成尚荣不好玩。意思是，我不会打牌，不会钓鱼，不会喝酒，不喜欢游山玩水。我的确不好玩。但我觉得我还是好玩的。我知道，年纪大了，再不抓紧时间读点书写点什么，真对不起自己，恐怕连“尚可”的水平都达不到。这位老朋友已离世了，我常默默地对他说：请九泉之下，仍继续谅解、宽容我的不好玩吧。真的，好不好玩在于自己的价值认知和追求。

六、首先做个好人，一个有道德的人

讲述的故事不管有多大，有一个十分重要的主题，那就是做个好人。做个好人真不容易。我对好人的定义是：心地善良，有社会良知，谦虚，和气，平等对人，与人为善，多站在对方的位置上想想。我的主要表现是：学会“让”。让，不是软弱，而是不必计较，不在小问题上计较，不在个人问题上计较。所谓好人，说到底是做个有道德的人。参与德育课程标准的研讨，参与道德与法治教材的审查，参与学生发展核心素养的论证，我最大的体会是：道德是照亮人生之路的光源，人生发展坐标首先是道德坐标。我信奉林肯的论述：“能力将你带上峰顶，德行将让你永驻那儿。”我还没登上峰顶，但是道德将成为一种攀登的力量和永驻的力量。我也信奉，智慧首先是道德，一如亚里士多德所言，智慧就是就那些对人类有益的或有害的事采取行动的伴随着理性的真实的能力状态。我又信奉，所谓的退、让，实质上是进步，一如插秧歌：“手把青秧插满田，低头便见水中天，六根清净方为道，退步原来是向前。”我还信奉，有分寸感就不会贪，有意志力就不怕，有责任心就不懒，有自控力就不乱。而分寸感、意志力、责任心、自控力无不与道德有关。

在更大的坐标上讲述故事，是一个反思、梳理、提升的过程，学者称之为“重撰”中的深加工。文丛试图对以往的观点、看法作个梳理，使之条理化、结构化，得以提升与跃迁。如果作一些概括的话，至少有三点体会。其一，心里有个视角，即“心视角”。心视角，用心去观察问题、分析问题。心视角有多大，坐标就可能有多大；心视角有多高，坐标就可能有多高。于是，我对自己的要求是，对任何观点对任何现象的分析、认识看高不看低，往深处本质上去看，往立意和价值上去看。看高就是一种升华。其二，脑子里有个思想的轮子。思想让人站立起来，让人动起来、活起来，人的全部尊严在于思想。思想是从哪里来的？来自哲学，来自文学，来自经典著作。我当然相信实践出真知，但是实践不与理论相结合，是出不了思想的。思想好比轮子，推着行动走。倘若文章里没有思想，写得再华丽都不是好文章。我常常努力地让思想的轮子转动起来。发展坐标是用思想充实起来、支撑起来的。其三，从这扇门到那扇门，打开一个新的天地。读书时，我常有种想象，我把这种阅读称作“猜想性阅读”。这样的阅读会丰富自己原有的认知框架，甚至可以改变自己原有的认知框架。写作则是从这扇门到那扇门，由此及彼，由表及里，由浅及深，是新的门窗的洞开。

七、把坐标打开：把人、文化，把教育的关注点、研究点，标在坐标上

更宽广的视野，更丰富的心视角，必然让坐标向教育、向生活、向世界打开。打开的坐标才可能是更大的坐标。我对专业的理解，不囿于学科，也不囿于课程，而要在人的问题上，在文化的问题上，在教育改革、发展的一些大问题上有些深度的阐释和建构，这样的专业是大专业。由此，对教师的专业发展我曾提出“第一专业”的命题。对教师专业发展如此，对教育科研工作者也应有这样的理解与要求。基于这样的认识，文丛从八个方面梳理、表达了我这十多年对有关问题思考、研究的观点：儿童立场、教师发展、道德、课程、教学、语文、教学流派以及核心素养。我心里十分清楚：涉及面多了，研究的专题不聚焦，研究的精力不集中，在

深度上、在学术的含量上达不到应有的要求。不过，我又以为，教育科研者视野开阔一点，视点多一点，并不是坏事，倒是让自己在多样性的认知与比较中，对某一个问题发现了不同的侧面，让问题立起来，观察得全面一些，也深入一些。同时，研究风格的多样化，也体现在研究的方向和价值上。

坐标打开，离不开思维方式和打开方式。我很认同“遮诠法”。遮诠法是佛教思维方式。遮，即质疑、否定；诠，即诠释、说明。遮不是目的，诠才是目的；但是没有遮，便没有深度、独特的诠；反过来，诠让遮有了更充足的理由。由遮到诠是思维方式，也是打开、展开的方式。

遮诠法只是我认同并运用的一种方式，我运用得比较多的是“赏诠法”。所谓赏，是肯定、认同、赞赏。我始终认为，质疑、批评、批判，是认识问题的方式，是指导别人的方式，而肯定、认同、赞赏同样是认识问题的方式，同样是指导别人的方式，因为肯定、认同、赞赏，不仅让别人增强自信，而且知道哪些是认识深刻、把握准确、表达清晰的，需要保持，需要将其放大，争取做得更好。对别人的指导应如此，对自己的学习和研究也应这样。这样的态度是打开的，坐标也是打开的。打开坐标，研究才会有新视野和新格局。

打开，固然可以深入，但真心的深入应是这一句话：“根索水而入土，叶追日而上天。”我对自己的要求是：向上飞扬，向下沉潜。要向上，还要向下，首先是“立起身来”。原来，所有的坐标里，都应有个人，这个人是站立起来的。这样的坐标才是更大的坐标。

八、打开感性之眼，开启写作之窗

不少人，包括老师，包括杂志编辑，也包括一些专家学者，认为我的写作是有风格的，有人曾开玩笑地说：这是成氏风格。

风格是人的影子，其意是人的个性使然，其意还在风格任人去评说。我也不知道自己的写作风格究竟是什么，只知道，那些文字是从我的心里流淌出来的，大概真实、自然与诗意，是我的风格。

不管风格不风格，有一点我是认同的，而且也是在努力践行的，那就是相信黑格尔对美的定义：美是用感性表达理念和理性。黑格尔的话与中国文化传统中的“感悟”，以及宗白华《美学散步》中的“直觉把握”是相同的，相通的。所以，我认为，写作首先是打开感性之眼，运用自己的直觉把握。我自觉而又不自觉地坚持了这一点。每次写作，总觉得自己的心灵又敞开了一次，又自由呼吸了一次，似乎是沿着一斜坡向上起飞、飞翔。心灵的自由才是最佳的写作状态，最适宜的写作风格。

当然也有人曾批评我的这一写作风格，认为过于诗意，也“带坏”了一些教师。我没有过多地去想，也没有和别人去辩论。问题出在对“诗意”的理解存在偏差。写作是个性化的创造，不必去过虑别人的议论。我坚持下来了，而且心里很踏实。

九、讲述故事应当有一个丰富的工具箱

工具的使用与创造，让人获得了解放，对工具的使用与创造已成为现代人的核心素养。

讲述故事也需要工具，不只是一种工具，而且要有一个工具箱。我的工具箱里有不少的工具。一是书籍。正如博尔赫斯所说的，书籍是人类创造的伟大工具。书籍这一工具，让我的心灵有了一次又一次腾飞的机会。二是艺术。艺术是哲学的工具。凭借艺术这一工具我走向哲学的阅读和思考。长期以来，我对艺术作品及其表演非常关注。曾记得，读师范时，我有过编写电影作品的欲望，并很冲动。现在回想起来，有点好笑，又非常欣慰。因为我那电影梦，已转向对哲学、伦理学的关注了。三是课程。从目的与手段的关系看，课程是手段、是工具。课程这一透镜，透析、透射出许多深刻的意蕴。四是教科书。我作为审查委员，对教材进行审查时，不是审查教材本身，而是去发现教材深处的人——教材是不是为人服务的。工具箱，提供了操作的工具，而工具的使用，以及使用中生成的想

象，常常帮助我去编织和讲述故事。

十、故事让时间人格化，我要继续讲下去

故事可以提供一个可供分享的世界。不过，我的目的，不只在与世界分享，更为重要的是，通过故事让时间人格化，让自己的时间人格化。讲述故事，是对过去的回忆，而回忆时，是在梳理自己的感受，梳理自己人格完善的境脉。相信故事，相信时间，相信自己的人生坐标。

我会去丰富自己的人生坐标，在更大的坐标上，继续讲述自己的故事。

2017 年 1 月 15 日

CURRICULUM

写在前面　让课程透镜折射出文化的光彩

一、课程改革"不忘初心"：回到课程文化建构的目的和境界上去

课程改革让我不断回到课堂中去，听课、评课、交谈、讨论……每听一堂课总有一种呼吸的感觉，像是呼出了什么，又吸进了什么。但究竟呼出了什么、吸进了什么，又不是很清楚。不过，有那么两节课，让我对此有了一些领悟。

一节听的是贵阳市民族中学高中生上的综合实践课：研究家乡的"牙舟陶"。这种本土制造的陶器有悠久的历史、鲜明的特色和突出的优势，可销售很不理想，因此企业亏损，几近破产，这一具有文化传统的遗产面临着失传的危险。学生组成研究小组实地考察、参与制作，并走访政府部门、企业、社会机构、媒体，寻求破解难题的办法，最后提出了加强保护和发展的建议。尽管如此，销售情况仍很不理想。这时老师抛出一个问题：我们能不能像电影《百鸟朝凤》制片人、导演那样，向大众下跪，请求大家行行好、伸出援手？学生们积极讨论，纷纷发表意见，有赞成的，也有反对的。直至下课，讨论仍在继续。随着讨论的深入，他们把话题聚焦到对传统文化的传承与创新上去。讨论中，有情感、有技能、有方式、有途径，而这一切，其实又是在理解一种文化和建构一种课程文化。这一

节课没有唯一的所谓正确答案，可已在学生们的心中埋下了什么。而于我，这似乎是一次深深的呼吸。

另一节听的是山东潍坊峡山区一所小学的数学课。朱老师教一年级的小学生认识钟表，在想一想、数一数、说一说、比一比、拨一拨的过程中，认识整数，在感知时间流逝的过程中体会时间的珍贵，感受时间的存在和时间的规律美。课中老师这么说：嘀嗒嘀嗒嘀嗒，时间就这样走了，它悄悄跑到我们的被窝里，跑到我们的游戏里，跑到我们的教室里；在时间的陪伴下，我们慢慢地长大了，爸爸妈妈慢慢地变老了。在深情描述后，老师问了一个问题：时间都去哪了，我们该怎么办？小朋友们争着回答，有的说，把太阳赶走；有的说，把太阳关在笼子里；有的说，让太阳永远停在那里；还有一个小朋友说，时间没了，可是我们幸福了……这是一堂数学课，可小学生们学到的何止是数学的知识、方法呢？实质上是在建构一种课程文化。而于我，又是一次自由而快乐的呼吸。

上课、听课，教师、学生都在呼吸，都在完成一次又一次的吐故纳新，这当然是文化意义上的。这些课让我自然想到了课程改革价值意义的定位与追求：课程改革说到底是课程文化的重构，只有回到文化意义上，课改才会有崇高的立意，才会有可持续发展的动力，也才会进入自由的境界。因为恩格斯早就说过：文化的每一次进步，都让我们向自由迈进一步。

毋庸置疑，学校是一种文化的存在，课程是一种文化形态，课程本身就是文化，而且它承担着传承与发展文化的重任。因此，把课改的价值意义定位于文化建构、文化进步、文化境界的追求是必然的。这是课改的“初心”。课改应不忘初心。不忘初心，就是不忘课改的本质——文化的进步；不忘课改的本来——课程原本是文化；不忘课改的使命——课程育人、文化育人；不忘课改的目的——为每一个学生的终身发展、为振兴中华民族奠基。虽然课改需要技术——工具、方法、手段、途径，但它绝不是一个简单的方法问题，更不应使之技术化，技术化必定让课改走进逼仄的空间；课改并不排斥知识、分数，乃至升学率，但它绝不能应试化，应试化违背了教育和课程的文化规定性，走向了另一种文化，并最终会走进死胡同。课程应当是形而下之“器”与形而上之“道”的结合与统一。唯此，课改才会有文化的进步，才会走进意义世界，臻于最高境界——文化的繁荣和精神的自由。不忘初心——课改在于建构课程文化。

二、聆听课改的声音：在隐喻式的思维中深层次理解课程文化

课程本身是有声音的，我们需要聆听；课改让课程的声音越来越丰富、越来越深刻，我们需要在聆听中理解。在诸多的声音中，有一种声音正在逐渐沉静下去，这声音就是课程要素。课程要素是理解课程的一种重要途径，而这些课程要素往往成为课程观的隐喻，而隐喻又逐渐成为“常识”，获得哲学的意义。这样的声音更需要深层次地领悟。今天，我们不能让课程要素再沉默下去，应让它们发出声音。我们去认真聆听，在聆听中让课程要素转化为课程观，在隐喻式思维中深层次理解并建构课程文化。

1. 课程原有的隐喻

课程是跑道。英语中的课程就是跑道。跑道，道与跑也。道，不仅指课程内容，而且喻指课程应当有目标、有计划、有规划，让课程沿着“道”前行。这就是一种课程的规定性。当下的一些课程具备了这种规定性吗？具有课程的意义吗？跑，喻指课程是一个过程，其中有策略、有方式，这是一个动态生成的过程。可以说，动态生成之“跑”不仅是课程的规定性，而且是课程生命活力之所在。于是，我们同样要追问：当下的课程，这一规定性得到了落实吗？生命活力得到彰显、更加强大了吗？课程就是“道”与“跑”的结合，是以“道”为载体的“跑”的过程，是以“跑”为主导、为引领的“道”的建设过程。这一隐喻让我们对课程文化意义及其建构的认知更深刻，对意义的把握更准确。

课程是桥梁。桥的一头搭建在学校里，另一头应当伸向学生未来的人生，通向社会。它具有可持续的动力，也意味着课程一定要与生活相联系、相契合，课程应当镶嵌在生活情境中。桥面当是宽敞的，它几乎与生活的宽度相等。这一喻指极有针对性：课程不是竞争的独木桥，而是合作

的平台，因而在合作中展现着无限美好的前景。桥墩当很坚固，深深扎在大地之下，它稳定、坚强、从容，稳稳地托起大桥。它喻指课程的厚度、深度和韧度。这诸多的“度”，揭示了课程的价值规定性及其立意，凸显了课程的基础性和课程结构的整体性，触及事物本质特征，就往往触及了文化意义的建构。

桥的隐喻引发课程的另一隐喻，那就是课程是一块起跳板。这绝不是对课程“神圣性”的贬低和亵渎，恰恰喻指目的与手段的关系：课程不是目的，而只是手段，课程的目的，在于通过开发与实施，让学生在学习中得到更好的发展，好比让学生准确地踩到起跳板，跃起、向前，跳得又高又远。但是，这块起跳板相当重要，应当把它建得更稳固、更扎实、更富弹性，而且将它放置于最合适的位置，召唤学生奔向它，依凭它，奔向最远大的目标。因此，这一工具、手段极富价值性和方向感，它仍然是神圣的。如何处理好目的与手段的关系，如何彰显课程的价值，把握好起跳的方向，是摆在我们面前的重要课题。显然，这一比喻满含着课程的文化意义。

2. 课程还会有新的隐喻

课程好比是馈赠给学生们一件幸福的礼物。课程学习需要勤奋、刻苦。因此课程目标与内容应当充满挑战性，有利于学生勇敢精神、勤奋态度、刻苦品质的培养。这是问题的一面，还应有另一面，即课程如何引导学生快乐地、自主地学习，而不是畏惧它、远离它。课程是有表情的，快乐的表情会带给学生愉快的体验、幸福的感受，让学生们渴望学习、学会学习、努力学习、创造性学习，进而享受学习。其实，勤奋、刻苦与快乐、幸福并不矛盾，它们都应是课程的表情，这样的表情具有完整性。但一个不争的事实是，当下的课程，尤其是课程的实施，在激发学生学习兴趣、增强学习信心等方面的问题是很突出的。因而，课程是件幸福的礼物，这一比喻既有深刻性又有普遍的针对性。幸福的礼物从哪里来？往深处说，这一幸福的礼物不是教师们赠送给学生的，而是学生们参与建构起来的，是师生共同创造出来的。文化，人化也；人既是文化的享用者、体验者，又是文化的创造者。显然，这一隐喻指向了课程文化的建构。

课程是机会。课程在学生面前呈现各种各样的机会，选择一门课程，正是获得一次发展的机会，课程越丰富，发展的机会就越多。课程是机会这一隐喻，展现了课程给学生带来极大的可能性，它既影响学生的当下，又影响着他们的未来。这就需要学生学会选择，选择自己所喜欢的、适合的、最需要的课程。当然，课程这一机会不仅体现在课程的学科内容设置上，课程的基础性、综合性，本身就为学生未来的发展提供了各种可选择的机会。课程设计者和实施者们必须考虑的是，我们究竟为学生提供了什么样的机会呢？又如何帮助学生学会选择呢？

我们还可以举出其他一些关于课程的隐喻。尽管任何一种比喻都有一定的缺陷，不过当它们成为隐喻、成为“常识”的时候，其文化意义就更加深刻，其缺陷就会在文化的阐释中转化、消逝。我们需要在隐喻式的思维中，走向课程文化的深刻，这正是课程改革的文化进步。

三、在课程文化的冲突中，坚守课程育人的核心理念，把立德树人的根本任务落到实处

以上种种隐喻可以用透镜来整合。课程是一组组透镜，折射出各种课程观，即各种课程理念。在陈旧的传统教育理念影响下，尤其受应试教育体制的严重干扰，各种课程观常常有猛烈的碰撞和严重的冲突，种种碰撞和冲突说到底是文化的碰撞和冲突。课程透镜究竟应当折射出什么样的课程观，种种课程观应当聚焦在什么问题上，成了冲突的焦点。毫无疑问，我们应从根本上来回答：培养什么样的人？怎么培养人？对这两个问题的回答，表达了我们对课程信念的理解和把握。课程文化是意义的建构，而意义建构的核心是课程信念的确立。高兴的是，对此我们已坚定而鲜明地回答了：立德树人。立德树人是课程改革的根本任务，也是具有中国特色的育人模式，是课程改革崇高的文化使命和文化境界追求。课程文化的讨论和建设必须紧紧围绕这一根本任务来进行并真正落实在改革过程中，用立德树人来统领课程改革，让一组组课程透镜发出最耀眼的文化光彩。

立德树人，首先指向人、聚焦人。人永远是目的。但是，长期以来，课程、教学中的人不见了，因为被知识、分数、片面追求的升学率遮蔽了，被驱赶走了。不见人，没有人的课程论、教学论至今还在驾驭着课程开发与教学实施，结果课改的方向必然发生严重的偏离。立德树人召唤我们真正确立起课程育人、教学育人的教育信念，让学生站到课程的正中央，让教学处处闪现“人的身影”，让学生成为课程、课堂的主人，在教师的帮助下，在“跑道”上跑得又好又快，在“起跳板”上跳得有力，跳得很远。这是课程的转向，也是教育的转向。

立德树人，十分重视道德的育人价值功能。国无德不兴，人无德不立。在学生全面发展的旅程中，道德永远是照耀他们前行的光源。道德之于智慧、之于幸福、之于法治、之于社会主义核心价值观，都有直接的重要的内在关联。教育首先是道德事业，课程首先是道德课程，教师首先是道德教师，因而课堂首先是道德课堂。这绝不是无限拔高道德的作用，而是由道德本身的价值所决定的。中华传统文化的底色与本色就是伦理道德，立德树人的育人模式是植根于中华传统文化土壤之中的。优秀中华传统文化让学生在价值世界中站稳了自己的脚跟。

应当把立德树人的根本任务落实在课程和教学中，用立德树人统领整个课程与教学。这绝不是一个简单的渗透问题，而是一个开发的问题。是渗透，还是开发，不只是策略和方法的问题，还涉及理念和方向。渗透，常常是“外加”和“灌输”，而开发就是将原本内蕴的道德、价值元素开掘出来，使之显现，与课程内容自然融合在一起。是价值澄清，还是价值引领，也不只是策略和方法的问题。价值澄清固然重要，让学生认清各种价值观，学生可以自主选择，但是学生的价值选择仍然需要教师的引领。教师不仅有价值澄清的责任，还应有价值引领的责任。是分散式进行，还是整体推进，当然也不只是策略和方法的问题。无论是社会主义核心价值观，还是中华优秀文化传统，无论是国家主权教育，还是法治教育，无论是爱家乡爱祖国教育，还是爱学习爱劳动教育，都应系统思考、整体规划、精心设计，有一个总体布局。这样的教育，是有目的的，而不是盲目的；是随机的，而不是随意的；是整体的，而不是碎片化的；是预设的，又是生成的。

时代在发展，社会在进步，世界在改变。立德树人根本任务的落实，在理念、内容、重点、方式方法上也应跟上时代的步伐，紧贴时代的精神和要求，还应遵循当代青少年儿童发展的特点和需求，进行创造性转化和创新性发展。这样的教育才能体现时代的特点，体现时代的色彩，符合青少年儿童发展的新特点，既扎扎实实，又生动活泼，既有普遍性，又体现学科特质，因而教育更有效。文章开头的两个案例是这种理念和要求的体现，学生们喜欢，在学习课程内容的过程中已接受了道德价值教育。这样的探索很有意义，对大家极富启发性。

方式是文化的一把钥匙，掌握这把钥匙可以打开文化之门，打开未来之门。文化的方式在于吸引人而不是强制人，它是浸润式的、探究式的、体验式的、感悟式的。久而久之，这样的方式形成学生的习惯模式，必将影响学生一生的发展。由此我们又不妨确立这样的理念和策略：立德树人根本任务的落实从变革方式开始。

四、探究式课程文化：课程文化建设中一个重要的价值信念

课程实质上是一个观念和信念的系统，我们将通过探究来分析课程想象，进而提炼课程文化，这是对探究式课程文化的一种解读、一层思考。与此同时，在课程开发与实施中更要着力培育学生探究的学习方式，生长起探究的精神，这是探究式课程文化的另一种解读，它彰显的是课改的要义和灵魂。

国际上有一个中小学生创新思维的比赛，名为“DI”全球创新思维竞赛。“DI”全称是“Destination Imagination”，原意是“目的地想象”，含义是通过无限的想象力和创造力到达目的地。其要求是，3～5人组成团队，共同完成长期题和即兴题的挑战；其目的是，培养学生的创新思维、团队合作以及问题解决这三项技能、素养。南京市致远外国语小学参加总

决赛，接受“改变步伐”题目的挑战，根据要求制造一辆可以承载一名队员的创意小车，小车要往返赛场 40 次；制作时要求有两种行动方案、两种动力系统、两种行进方式，并可以随时切换；同时要表演一个融入小车各元素的短剧。致远小学的团队用废旧材料制造了一辆安全行进的“陆空两栖飞船”，利用空气动力将共 70 多公斤的一个队员和小车托离地面，并用 3 秒的时间就可以完成一趟行进，获得冠军。

之所以介绍这一比赛，是因为它突显了探究式课程文化的理念，体现了时代的要求和特点，聚焦在学生发展核心素养上。同时又一次证明了，探究式课程文化是可以建构起来的，小学生充满着探究精神和实践能力，只要为他们搭建平台，给他们提供各种机会，他们就会进步、成功。此外，还告诉大家，中国的中小学生在课程改革中，探究、体验、实践、创新的意识正在得到增强，能力得到了提升，探究式课程文化正在改变着当今中国的中小学生。

值得注意的是，探究式课程文化建构的步伐还不够快，价值信念还没有真正建立起来。主要表现是：知识传授仍主导着教学过程，发现学习的学习方式仍然处在边缘地带，批判性思维能力培养还没有进入课程目标，动手操作能力还没有落实在学习活动中，等等。这些问题倘若不能得到解决，探究式课程文化的建构是非常困难的，学生创新精神与实践能力的培养只能止于一种口号，因而，“第四只苹果”掌握在中国人的手中几乎是不可能的。课改的任务仍很艰巨，课改价值信念的建立还有很长的路要走，探究式课程文化应当引起更足够的重视。

不过，我们仍充满着乐观的期待，因为学生发展核心素养体系的形成与创造性实施，将课程改革推到新阶段，课程文化建设将使课程改革站到制高点上去。我们确信，文化上的进步，让我们不断向自由迈进。

核心观点 课程透镜：问题透视与价值透射

CURRICULUM

一、课改中问题的再思考：问题的症结在于对课程本质属性和价值缺少深度认知

一位诗人曾经说过这样意思的话：以往的一切都曾经被想过，困难的是再思考。用这样的观点来考察课程改革是恰当不过的。

课程改革风生水起，无论是校长、教师，还是教科研人员、理论工作者都被“卷入”进去，表现出极大的改革激情，创造了丰富的实践经验，理论成果也很显著。一个不争的事实是，课程改革正在改变着课程，改变着教学，改变着教师，最终改变着学生。但若对课改作一番较为深度的检视，又不难发现，随着课改的深入，一些问题越来越暴露出来，也越来越凸显起来。其中一些问题，尽管以往我们也曾想过，现在再去思考还是比较困难的，其主要原因是这些现象、问题，或是“隐藏”得比较深，不易发现；或是存在的时间过长，已司空见惯，不少人已不觉得这有问题；或是改革的兴奋点过多，无兴趣也无暇去关注这些问题。其实，这些现象还真是个问题，亟须关注，亟须再思考，否则，问题会越大越重，不利于课改的健康发展。

我将这些问题作了初步梳理，并作了个聚焦，聚焦于对课程本质的理

解，对课程理念的实现。问题大致如下。

其一，核心理念被忽略被遮蔽下，课程、教学主张的刻意和刻板。课改以来，我们的课程、教学理念发生了根本性变化，有的甚至是颠覆性的，课程、教学主张的提出与追求，就是其中一个突出的表现。课程、教学主张是教育理念、教育思想的具体化表达，其特征是学科化、个性化，具有鲜明的独特性。无疑，这是教育理念的重要进步，在一定程度上意味着课程、教学理论研究的学术民主和繁荣，这一进步是了不得的。但是随着课改的深入，有的人认知不深，把握不准，课程、教学主张方面的问题也开始发生。一是刻意追求。追求新颖、与众不同，人为"制造"的痕迹越来越明显。二是刻板化表达。"××教育""××教学""××学科"等成了表达的模子，难免词语"山穷水尽""江郎才尽"。三是主张与实践相脱节，不相吻合，成了"两张皮"。只关注主张的独特性，只在表达方式上下功夫，必定会以文害义，往往将课程、教学的核心理念淡忘——将课程育人、教学育人丢在一边。其实，课程育人、教学育人才是最为根本、最具有统领性和恒久性的主张。育人主张的被边缘化，造成了课程、教学主张因小失大的弊端。同时，也在一定程度上暴露了研究、实践的浮躁、浮华甚至还有浮夸的问题，改革的品质应进一步坚守、培育和发展。

其二，价值理性与工具理性失衡下，课程、教学核心理念的飘忽和"两气"的不对接。课程改革的确要"接地气"，即要有方法论，明晰改革的技术路径，帮助教师解决具体的操作方法、途径和手段，寻求现代技术的支撑，否则，理念只能是天上的五彩云霞，而不能真正落到实处，不能转化为课程和教学行为。不可忽略的还有一个"接天气"的问题。所谓"接天气"，即理论的指导、理想的追求、理念的引领，追求课改的理性深刻和行动的自觉。"接天气"是形而上的道，"接地气"则是形而下之器，道与器统一、融合，改革才能最终成功，事物才会呈现比较完美的状态。当下的问题是两者互不对接，容易造成偏颇，造成理性价值与工具价值各自偏隅一方，甚至有点冲突和排斥。而深究起来，还是对课程的本质属性缺少深刻的认知和准确的把握，以致课程理念飘忽起来。课程及其改革之

“两气”究竟是怎么相通的，我们并不是十分清楚。让课程理念稳定下来，上接天，下接地，又关乎人与道，说到底还是要让课程及其改革的价值理性与工具理性形成合理结构，相辅相成。

其三，远离“跑道”误导下，课程开发的随意与复杂化。当下的一个突出问题是，课程的规定性没有得到落实，课程意义还没有真正建立起来。课程改革是一次专业性很强的活动，必须坚守课程的原义：“跑道”。道者，规范也，要求有目的、有计划地开发与实施；跑者，过程也，要求学生去经历、去探究、去体验、去发现和生成。静态的道、动态的跑，规范的道、生成的跑，形成了课程的规定性。同时，目标、内容、实施、评价等是课程必备的元素，不具备这些因素就不能建构起课程的意义。当下，有一种口号：远离“跑道”。这实在是对课程本质属性的误读和误导。远离“跑道”的结果是课程的随意化和课程结构的复杂化。一是校本开发的随意与过度。校本课程开发无疑是课程改革的重大进步，但当下把改革、把兴奋点更多地置于校本课程的开发上，而校本课程开发的宗旨又置于学校特色的追求上，将学生的差异性与个性发展置于边缘。同时，还存在追求校本课程的教材化和数量化问题，将课程品质的提升置于边缘。更值得注意的是，校本课程开发的热浪淡化、弱化了国家课程的实施，影响了教育质量的全面提高与共同基础的夯实。二是课程结构的复杂化。国家课程、地方课程、校本课程构成了我国学校课程的结构，这一结构是科学、合理的，也是简洁的。但有的地区和学校为了追求学校特色，想尽各种办法，设置了名目繁多的课程，说不清、道不明、记不住，相互交叉、相互冲突，破坏了学校课程结构的均衡性和科学性，造成了课程体系的混乱，教师往往无所适从，心中无数。三是对课程综合的片面化理解与实施。课程综合是一个完整的概念，既是形态，又是理念、方法、能力和过程。但是当下只在课程形态的综合上下足功夫，将理念、方法、能力、过程丢之一边，综合的自觉性被降低。同时，打开边界、加强联系、跨界学习这一综合的本质与目的也被丢弃一边。

以上这些问题只是初步梳理。在梳理中，我认为，问题的表现点是比较多的，但内在的根源还是比较清晰的。如上文所述，问题的症结是，对课程的本质属性缺少深入的理性思考亦即对课程的基本规定性研究不透、认识不深、把握不准。我们需要再思考。

二、课程是面透镜，这一隐喻帮助我们寻找到观察世界的视角和思想分类的方法

我们可以把再思考聚焦到研究、解决问题的方法论上去，用隐喻去破解。用罗素的话来说："真相是重要的，想象也是重要的。"①用多尔的观点来看："隐喻比逻辑更有效。隐喻是生产性的，帮助我们看到所没有看到的。隐喻是开放性的、启发性的、引发对话的，具有联想价值。"②这个隐喻应该是什么呢？这个隐喻，叫作透镜，叫作课程透镜。这一隐喻我们可以从以下三个角度去讨论。

1. 从文化的层面——课程是文化的透镜

还是回到课程文化的视角上去，因为，文化会告诉我们许多。不过，文化又很难意识与把握，有一句话说得特别有意思：如果一条鱼成了人类学家，那么，它最不容易发现的东西就是水。也许我们就是那条鱼。为什么我们难以感知和考察我们的文化呢？"原因就在于文化是我们的透镜，是我们观察和思考的方式……如果不通过从我们成长于其中的文化之中学会的思想分类，我们甚至无法思考文化。"③文化是个透镜，透镜给了我们观察和思考的方式，帮助我们学会思想分类。课程是一种文化形态，承载着千百万年来人类的文化，又承担着人类文化和文明的重任，完全可以说，课程是文化的透镜。这一透镜说到底，"形成了学生用以观察和解释世界的'透镜'"④。课程透镜让我们深切地感知并考察了课程文化。文化

①［英］罗素．教育与美好生活［M］．杨汉麟，译．石家庄：河北人民出版社，1999.
②［美］多尔．后现代课程观［M］．王红宇，译．北京：教育科学出版社，2000.
③［美］约瑟夫，等．课程文化［M］．余强，译．杭州：浙江教育出版社，2008.
④ 同上。

的视角，让课程透镜的文化意义进一步彰显。

2. 从人类学的层面——课程是人类学的透镜

说到鱼成了人类学家，自然想到“人类学透镜”。人类学研究的是一幅“人类存在的图景”，这幅图景需要事实，需要用这些事实编织人类起源和进化的故事，进而需要编织成一个合乎逻辑、有条理的综合体。但仅仅这些还不够，“一个人仍然不一定就能掌握人类学视角的所有意涵”，“人类学家需要‘透镜’来观看我们置身的这个世界”。[①] 可见，“人类学透镜”，并不仅仅是将人类学当作透镜，而是人类学、人类学家还需要透镜，即获得观看我们置身的这个世界的方式。当然，我们也不难理解，课程是人类生存的一种形态，可以用课程去编织一幅“人类存在的图景”，可以用课程去编织教育学视野下的人类学。此时，课程已成了人类学、人类学家所需的一种透镜，成了观看这个世界的方式，在这过程中，学会思想分类，去领会、把握世界的丰富意涵。人类学的视角让课程透镜的层面有了新的提升。

3. 从课程论的层面——课程是透镜

关于课程本身也有不少的比喻。课程是教育的核心，这已是明确的共识。“如果说学制是车厢，那么课程就是货物；如果说学制是碗碟，那么课程就是饭菜。”“课程是学校最重要的‘软件’”；“课程是学校循环系统的心脏”；“课程是培养未来人才的蓝图”……其中有一个关于透镜的比喻：“课程是凸透镜”。犹如大千世界充满着绚丽多彩的七色光，然而透过透明的玻璃或者水晶制成的凸透镜，光线便会聚在一起，“人类千百万年优秀文化遗产和当代最新科学成就的精华，便集中地体现出来。透过‘课程’这面凸透镜，纷繁复杂的大千世界变得简明清晰了”。[②] 这一比喻中的本体就是课程。课程透镜，这一生动形象的比喻让我们看到了大千世界

---

①［美］詹姆斯·皮科克．人类学透镜（第2版）［M］．汪丽华，译．北京：北京大学出版社，2009.

② 吕达，等．独木桥？阳光道？——未来中小学课程面面观［M］．北京：中信出版社，1991.

中，蓝天下静静躺着的那叫课程的透镜，它反射人类文明的光芒，折射出世界变幻的色彩。课程论的视角，让课程透镜牢固地守住自己的本体。

文化、人类学、课程论等三个层面，即三个视角论定了一个比喻：课程透镜。其实，这一比喻是隐喻。黑格尔曾在《美学》第二卷第三章讨论了隐喻问题。他认为每一种语言本身就包含了无数的隐喻。课程专家对语言中所包含的隐喻的发现还作了说明："如果对各种要素进行深入的考察，我们便可以联想到那些支持有关课程观的种种隐喻"，因此，"这样的隐喻已是'常识'，因为人们通常不去察觉和考虑它。然而，当人们就课程进行辩论或作决策时，它又无处不在，并对人们的期望产生有力的影响"。[①]其实，当隐喻成为常识的时候，它已经渐渐地、悄悄地成了显喻。课程透镜具有"反射性"和"折射性"。值得注意的是，讨论课程隐喻，目的不在隐喻本身，而在通过隐喻，建构起隐喻式的思维方式。隐喻式的思维方式更具形象性和生动性，同时更具深刻性和穿透性，更具想象力和创造力，对课程观的理解更透彻，对课改的支撑更强大。课程透镜还具有校正性。今天，我们就是要通过透镜这一隐喻，对课改中存在的问题进行鲜明的比照、深入的辨析，加以厘清，透射课程观的思想和理念。此时，透镜这一隐喻已成了课改的文化符号，让我们产生文化期待，如天上的一盏顶灯，照耀课程改革、教学改革的旅程。

三、课程透镜首先透射出精神和思想价值，帮助我们建立价值思维

透镜首先是价值观的透射。毋庸置疑，课程是一个观念和信念的价值系统。有一个比喻印证了这一课程观："如果教师只为一名儿童翻转 1000 块石头，那他的任务还没有完成；他还要使儿童从石头中看到更多的东西，让这些石头激起儿童对这个世界的历史的兴趣，激起儿童对水、大气、土壤和岩石的进化过程的兴趣，并引导儿童窥探这些东西背后的更深

---

①［美］约瑟夫，等．课程文化［M］．余强，译．杭州：浙江教育出版社，2008.

层的意义。”[①] 与此相匹配的还有一个比喻：“人的心智如同肌肉一样的观点已经不复存在”。[②] 显而易见，课程观的实质是价值观，透镜要在课程价值的发现、澄清、选择、引领上照耀儿童的心灵。这样，心智的丰富、完善再也不是“肌肉的训练运动”，而是价值的丰盈和滋养。课程透镜究竟透析了哪些价值？

其一，通过透镜，帮助我们端正价值取向。课程是文化的载体，担承着价值澄清、价值引领的重任。任何课程、教学首先是价值教育，是儿童的价值学习，失缺价值便是失缺了课程之魂。遗憾的是，当下的实践中，价值教育、价值学习还没有引起足够的重视。比如，课程、教学主张的刻意与刻板带来的张扬，所显现的功利偏向和肤浅现象，实质上缺失的是核心理念——课程育人、教学育人的高位价值引领，在刻意、刻板中，主张成了“心智肌肉的训练运动”，成了只具所谓独特性而无深厚价值内涵的面具。比如，课程、教学理念的飘忽，“两气”的不对接，实质是课程核心价值观的飘散——不够鲜明、不能坚守、不够坚定，是价值理性的淡化。再比如，不注重“接天气”，实质上是对核心课程观的忽略，是技术理性、工具理性挤压了价值理性。当下，我们必须以立德树人为课程、教学改革的根本任务，将“天气”“接”在学生发展核心素养上，着力培育、践行社会主义核心价值观，着力弘扬中华优秀传统文化，着力加强法治教育，着力引导学生将个人终身发展价值需求和社会发展价值需求统一起来，在学生的心灵深处打上鲜明的社会主义核心价值观的烙印，使其满怀中华民族的文化自信，走向世界，走向未来。这是正确的价值取向。

其二，通过透镜，帮助学生进行道德价值判断。道德是人类的最高目标。教育首先是道德事业，因此，课程首先是道德课程，课堂首先是道德课堂，教师首先是道德教师。道德课程、道德课堂、道德教师，核心内涵是充溢德性，让道德生命健康成长。这是课程透镜所透射出的课程的道

---

①[美]约瑟夫，等.课程文化[M].余强，译.杭州：浙江教育出版社，2008.

②同上。

德价值和意义，还透射出道德教育的责任与使命。首先是通过课程让学生对道德有较为充分、深刻的道德认知。国无德不兴，人无德不立；道德是人终身发展旅途上的光源；能力让人登上山顶，而德行将让你永驻山峰之巅。因此，要通过立德来树人。其次，要引导学生对事物进行道德思考。有的学生会对幸福、对智慧，对一些价值观等产生道德困惑，有时也会陷入道德困境之中。无论是幸福，还是智慧，无论是法治，还是文化，都离不开道德。幸福是完美生活中德性的实现，智慧是智力与道德的牵手，法治是最基本的道德，中华文化的主色调是伦理道德文化……道德如一双眼睛，帮助我们对事物进行深刻思考和价值判断。再次，引导学生进行道德实践，从自己做起，从小事做起，既有良好的私德，又有良好的社会公德，做一个有道德的人，一个真正的好人。

其三，通过透镜，在挑战性思维的价值追求中培养创新精神。杜威有个重要判断："学习就是要学会思维。"① 不难理解，让学习看得见，实质就是让思维看得见；让学习真正发生，实质就是让思维真正发生。日本将思维能力作为学生发展的核心素养，重点培养学生的逻辑思维、批判性思维、原认知思维、适应性思维、创新性思维等能力。我以为，这些思维都具有强烈的挑战性，挑战性思维让学生经历探究、体验、发现的过程，只有思维的挑战性才能让学生培养起高阶思维品质，才能让学生具有创新精神和能力。从这个角度认识，所谓深度学习，一定是挑战性思维中的学习。正如前文所述，课程开发中的随意、课程规范的缺失、课程综合的片面性理解、课程结构的复杂化等问题，无不与思维能力、思维方式有关。我们的课程如何让学生选择挑战性思维，并经受挑战性思维的锤炼，吸收挑战性思维带来的创新价值，这是必须认真对待的问题。要引导学生进行深度学习，将课程改革、教学改革推向深入。

其四，通过透镜，在审美价值的追求中走向发展的最高境界。教育、

---

①［美］杜威.我们怎样理解思维·经验与教育［M］.姜文闵，译.北京：人民教育出版社，2004.

课程、教学，还有儿童都与审美有着天然的联系。课程、教学改革是一个充满审美的过程，让课程、教学成为儿童欣赏美、享受美、创造美的过程；审美是课程、教学的特征，也是课程、教学改革的境界；审美正发生重大的转向，即转向日常生活，课程改革、教学改革正是引导学生回到日常生活中去，在审美的引领下，过积极、有意义的生活；儿童原本是一颗美的种子，课改正是让美的种子在美的滋养下萌芽、生长。总之，审美价值在课程、教学中闪耀着光芒，审美素养已成为学生发展核心素养内涵中十分重要的元素，成为学生核心素养培育、发展的根本动力和境界。课程这一透镜要将审美这一价值充分开发出来，让中华传统的美学精神浸润儿童心灵，擦亮学生发现美的眼睛，每天提升一点美的发现力；让审美成为一种自觉，每天提升一点美的表现力；让美成为一种素养，每天提升一点美的创造力。美，让人有解放感，有崇高感。课改要让儿童在学习生活中，用美去解放自己，用美去超越平庸，超越肤浅，超越功利，让自己崇高起来。拓开来看，课程形态、课程结构、课程评价等，都应是一个审美化的过程，远离美，拒绝美，课改中必然会出现这样那样的问题。让课改在审美中走向最高境界，这本身就是一种审美价值的追求。

至此，可以对课程透镜及其透射的价值作一下概括：在当今这个时代，整个社会和人类世界，需要掌握运用特定的价值思维来思考价值问题。课程透镜的价值就在于帮助我们建立新的价值思维，运用价值思维正确把握好价值教育。有人举了教材中“小马过河”的例子：小马要过河，先去问水深不深。老牛说很浅，小松鼠说很深，小马妈妈说你走一下就知道了。小马走了以后发现水不浅也不深。传统哲学告诉我们，这一童话的道理是“实践出真知”，或“具体问题具体分析”，这一价值的确立当然是十分重要的。但是，价值思维提醒我们还需要进行价值追问：“小马过河这个实践，到底出了什么真知？河水究竟是深是浅？——如果不转移论题，那么不难发现，实事求是的回答显然应该是‘河水深不深，要看是谁过河！’……小马过河的故事表明，任何事物的价值都以主体为尺度。”[①]这正是课程透镜所透射的价值思维的价值。价值思维的培养、确立，让学生永远有一面透镜，对社会、对世界的观察有了一种视角和方法，对所遇到的事情进行价值判断，形成价值观念。这本身就是课程透镜的价值。

四、课程透镜透射了课程工具的本质属性，具有重要的工具价值，但具有崇高性和神圣性

课程学习和日常生活中，会遇到各种情况，需要多种视角，只要构建一个单一的视角，就把其他视角都包含在内的想法肯定是不可能的。这让人想起一句打油诗："两个人从监狱的窗户往外看，一个看到的是地上的泥土，另一个看到的是天上的星星。"同样，课程透镜，不只是一个视角，我们既要凝视大地，还要仰望天空；即使看待课程本身也不只是发现课程的思想，即精神的价值，还应发现课程另外的价值，即工具价值。多种视角下，两种价值的同时探索和发现，才能建构起课程完整的价值体系，我们才能完整地进入课程世界。

透镜是课程透镜这一比喻的本体，原本是光学上的一个概念，是一种工具。那么，用它作为喻体的时候，也不应离开本体而作虚幻的联想。开发课程的工具属性，实际上是让我们回到课程的本质属性上。

先从苏霍姆林斯基对教师如何使用教科书说起。苏霍姆林斯基曾引用列宁父亲的话来论述："教师应当知道的东西，要比他教给学生的东西多10倍、20倍；至于教科书，对他来说只不过是随时准备弹离的跳板而已。"接着他指出："你们如果看到某一位教师上课只是在那里忠实地复述教科书，那可以肯定，他的教育素养还很差。"[②]教科书是跳板，跳板是工具，不是目的，目的是让学生以自己助跑的方式，踩准跳板，跳得更高更

① 李德顺．当代哲学思维的变革和挑战［J］．新华文摘，2017（13）．

② 蔡汀，等．苏霍姆林斯基选集（第4卷）［M］．北京：教育科学出版社，2001.

远更好。教科书是工具，课程亦然，课程还具有重要的工具价值、形式价值，这是毋庸置疑的。

课程的原义为跑道，一开始就是从工具的视角给其定义和阐释的。后来的比喻，无论是透镜，还是桥梁，都在延续和拓展其工具的属性。美国课程论专家塞勒的三个比喻亦是如此：课程是建筑的蓝图，教学则是施工；课程是球赛的方案，教学则是比赛；课程是乐谱，教学则是演奏的过程。① 他论述的虽是课程与教学的关系，却立足于课程的工具性，从工具的角度阐明了教学与课程在功能上等值的关系，可见课程工具价值之一斑。

亚里士多德有一重要著作《工具论》。他将范畴、解释、前分析、后分析、论辩等都归置于"工具论"之下，也足见他的观点：对于哲学，这些都只是工具。德国教育人类学家博尔诺夫应和了这一理论，并以此建构了人类学的工具原则。他指出，我们可以把考察方法颠倒过来："假如人类学的还原原则曾从作为文化创造者的人出发来理解客观文化领域，那么我们可以把创造者与创造物的关系颠倒过来考察，并提出这样的问题：从人出于某种内在需要创造了这个文化世界的事实中，可以对人本身推断出什么结论？谢林把艺术作为'哲学的工具'。普勒斯纳受谢林这一思想的启发，把各种文化领域理解为哲学人类学的'工具'。"② 这就是说，博尔诺夫提出的人类学的工具原则，意味着把文化作为考察人的工具。课程也绝不例外。

说到考察人的工具，自然想起人与工具的关系：人是在使用工具、创造工具中站立起来的，并得到解放；离开工具，人类便无法生活，人是工具的使用者、创造者，人成了世界的主人；于是，不少国家和国际组织将主动使用工具作为学生的核心素养，不难理解，这是对工具价值的深度开发。

---

①施良方．课程理论——课程的基础、原理与问题［M］．北京：教育科学出版社，1996.
②［德］博尔诺夫．教育人类学［M］．李其龙，等，译．上海：华东师范大学出版社，1999.

以上几个视角，在论述同一个问题：课程是透镜，是工具，具有工具的本质属性，具有形式价值。但是，需要郑重说明的是，课程又不是一般的工具，它承载着人类的文化，传递着人类的文明，它具有价值的崇高性和神圣性。这种价值的崇高性、神圣性，首先是美的崇高性、神圣性。美何而崇高神圣？就是因为美的背后是真、善，是美给人以解放，是美给人以崇高感，给人以一种完整的并且崇高的生命境界。因此，课程工具价值的确证、论述，绝不是降低，更不是贬低课程的精神、思想价值，恰恰是还原课程原本的性质和意义，进而还原并建构课程完整的价值体系。用这样的完整价值体系去观察、反思课改中的问题，包括用工具价值体系去观察、反思课改中的问题，包括用工具价值、工具理性去检视、再思考课改中、当下正在凸显的问题，就可以寻找到问题产生的根源和解决问题的方案。我们会发现课程改革、教学改革还不能真正“接地气”，课程开发中的随意，以及课程综合中的偏差等问题，无不与对课程工具价值认识与运用不足相关。课改中的价值观与方法论应有机统一起来、结合起来、互动起来。这种统一、结合、互动就在透镜之中。

我们试着用课程透镜这一工具去讨论课改、教改，更深入地领会课程透镜的工具价值。

首先，课程的工具价值让学生成为掌握、使用工具的主人。工具是人创造的，是为人的生产、生活服务的，人是工具的主人。课程亦如此。正是在“使用”课程的过程中，学生的主体地位逐步确立起来，成为真正的学习者，成为教育的主体。假若不是这样，学生自己就会成为工具，被训练，被考试，被使用，甚至会沦为工具的奴仆。这种学习者与工具关系颠倒的状况，长期以来还未得到根本的改变。课程的工具价值应体现在帮助学生主动学习课程、课程为学生发展服务上。这一论题其实还内含着另一个关系，即手段与目的的关系。学习课程、使用工具不是目的，它永远是手段；相反学习者永远是目的，永远不是手段。说到底，课程的工具价值，让学生站到学习者这一主体地位上，它又是在学生学习过程中被发现、被使用、被凸显出来的。

其次，课程的工具价值，用工具撬动课程改革、教学改革。课程改革、教学改革有时难以深入，除了理念等原因外，跟缺少工具的支撑是有关系的。课程透镜这一比喻启发我们，工具价值不仅体现在课程本身，还体现在工具的开发与使用上。一份学习单，帮助并促进了学生自主学习，改变被动学习的状态，回到教学的核心上去；一个情境的创设，促使学生在其中经历，从符号世界里走出来，走向生活，走向综合；信息、技术、媒体的使用，把世界带进了课堂，把整个宇宙当作课程；“互联网+”让“课程地球”成为平的，构建人类命运共同体成为教育的使命，具体化为课程改革、教学改革的自觉……撬动，这一工具的具体功能，彰显出的是课程的工具价值。

再次，课程的工具价值，将用人类智慧培育、发展学生的核心素养。如前文所述，主动使用工具，创造性使用工具已成为现代学生发展核心素养体系中的重要元素，成为学生未来发展所必备的品格与关键能力。工具离不开人类的创造，人类的发展离不开工具的创造，工具是人类文化的物化形态，工具进步是人类文明进步的表征。人类的智慧往往凝聚在工具上。尽管工具的样态不断发生变化，它的发展有时无法预料，不可捉摸，但它的价值是永恒的，工具价值之花永不凋零。课程透镜透射出了人类的智慧，透射出学生发展核心素养在人类智慧的培育下不断提升。

五、教师要把自己做成一面透镜，让学生自己照亮自己，再去照亮课程

印度伟大哲学家克里希那穆提有这么一首诗：“真正的老师只对他自己下功夫，就像磨一面镜一样，他把自己最终做成了镜子。但他是一面没有目的的镜子，它并不去有意寻找谁的脸来照。它只是在那儿，但来到面前的人看到了他自己。真正的老师反射你的光，如果你借着他看到了光明，那也只不过是你自己的光照到了你自己的黑暗……”

又一个生动而深刻的比喻。如果说，课程透镜更多的是从课程与外界

事物的关系来思考和阐释，那么，教师是一面镜子则更多地从教师和学生的关系来思考和定位。教师把自己做成了一面镜子，为的是照亮学生，让学生从教师这面镜子里看到自己；镜子反射出的光原来是学生自己的，最终让学生自己照亮自己，用自己的光驱走黑暗。倘若没有教师这面镜子，学生看到自己、照亮自己就很困难。教师这面透镜、这一工具发出了灿烂的价值光芒。

如果教师这面透镜与课程透镜相遇呢？课程透镜的一切价值都是内涵着的，是静态的，它需要别人的发现和开发。教师这面透镜恰好反射出课程的价值，同时，让学生用教师这面透镜折射出自己的光，去照亮课程的价值；没有教师与学生的互动，课程价值永远静静地躺在那里，得不到开发，也得不到发展。

这一切的一切，最终让学生成了一面透镜，他们就是人类的透镜、未来的镜子。老师们，自己对自己下功夫吧，把自己做成一面透镜吧，为了孩子，为了民族，为了明天。

第一辑 课程改革：回归与出发

CURRICULUM

- 改革总要回归，回归是回到原点，回到规律。回归，总有创造性想象，所以回归是一次新的出发。

- 教育的幸福、智慧、依法治校、教学改革都离不开道德，立德在树人中起着关键性的支撑作用。

- 课程改革勇敢地跨出了“多元”这一步。“多元”是在过去同一性的课程结构和秩序上的发展与超越。多元带来课程的丰富，带来课堂教学生命的活力，带来学生个性的发展。

立德树人：课程改革的根本任务

CURRICULUM

一、立德树人：新时期我国的育人模式

立德树人，是发展中国特色社会主义教育事业的核心所在，是培养德智体美全面发展的社会主义事业建设者和接班人的本质要求。核心所在、本质要求，揭示、点明并阐释了我国发展社会主义教育事业、培养社会主义事业建设者和接班人的根本目的，倘若不以立德树人为根本任务，那么就体现不了我国教育事业发展的核心目的，也就体现不了党的教育方针所规定的培养目标的本质特点，当然也就不能凸显我国教育事业的特色，势必就无所谓教育的中国道路、中国力量、中国声音。

自20世纪90年代初以来，我国一直在推行素质教育，而且取得了重大进展。党的十八大有关文件中并未出现素质教育的概念，这绝不意味着对素质教育的否定。素质教育已成为普遍使用的概念，从口号本身而言，素质教育已深入人心了。十九大报告中，明确提出“发展素质教育”的要求。但是，需要深思和追问的是，素质教育更为深层次的价值追求和根本目的究竟是什么。尽管我们都知道、都明白素质教育是为了学生素质的全面提高，但学生素质发展中的核心素养究竟是什么，却并不是十分准确和清晰的。立德树人，把培养人、发展人作为根本目的，作为核心理念；把

通过立德树人，让学生成人成才，作为根本和途径。立德树人的根本价值取向是非常鲜明的。因此，立德树人是新时期对素质教育的新要求，素质教育应当以立德树人为根本目的，并在立德树人引领下，更深入地推进和发展。

立德树人，首先需要立德。习近平总书记说，国无德不兴，人无德不立。不立德，就不能树人，通过立德去树人，这是由道德的重要性所决定的。德国教育家赫尔巴特说："道德普遍地被认为是人类的最高目的，因此也是教育的最高目的。"教育首先是道德事业，一如美国教育家内尔·诺丁斯所说，一个在伦理上有考虑的教师，首先是道德教师。道德事业，超越了教育是科学、教育是艺术的认知，科学、艺术倘若没有道德的充盈和支撑，就不可能是真正的教育；同样的，道德教师超越了学科，所有学科教师都应该首先是道德教师。北京十一学校校长李希贵说得好："教师不是教学科的，是教人的。"

道德这一最高目的，引领着我们去认识以下一些关系。一是道德与幸福的关系。亚里士多德说："幸福乃是在完满生活中德性的实现。"道德应是幸福的灵魂。二是道德与智慧的关系。智慧必须对人类有益或有害的事情采取行动，不对人类有益，再聪明都不能视作智慧或智者。道德是智慧的本质特征。三是道德与法律的关系。孟德斯鸠说，法律是最基本的道德，而道德则是最高的法律。正因此，康德才说："仰望太空，星光灿烂；道德律令，在我心中。"（1）道德与人的全面发展。苏霍姆林斯基说："道德是照亮全面发展的一切方面的光源。"蔡元培认为："若无德，则虽体魄智力发达，适足助其为恶。"（2）道德与教学。第斯多惠指出："任何真正的教学莫不具有道德的力量。"其实，这就是教育与教学的关系。赫尔巴特坚定地认为："我想不到有任何'无教学的教育'，正如在相反方面，我不承认有任何'无教育的教学'。"无疑，这些关系的阐释，让我们坚定一个信念：教育的幸福、智慧、依法治校、教学改革都离不开道德，立德在树人中起着关键性的支撑作用。

但是，立德树人又不只是立德的问题，也不只是讨论道德与树人关系的问题，更重要的是一个探索、建构育人模式的问题。这一模式，具有鲜明的中国特色。中华民族自古以来就非常注重道德在人的发展中的重要性，无论是天下兴亡匹夫有责，还是仁爱共济、立己达人，抑或正心笃志、崇德弘毅，道德始终引领、支撑着人的发展。立德树人是在中华优秀传统文化土壤里生长起来的育人模式。同时，这一模式又应和着世界教育改革的潮流，回应着时代的召唤。教育就是为了育人，立德树人，把教育的宗旨定在人的发展上，这就超越了知识，更超越了分数，甚至超越了能力。让人成为目的，让学生站在教育的中央，让教师与学生都成为学习者，这些都是全球教育共同面临并正在探索的问题。因此，立德树人是面向全球的一个开放的概念。道德的困境成了世界各国的难题，都在探索如何摆脱困境，而我们国家更重视、更凸显道德的力量。这一具有中国特色的育人模式，将展现巨大的生成、发展力量，也将展现特有的中国魅力和风格。

二、落实立德树人根本任务的主要保障

深化课程改革，落实立德树人的根本任务，对课程管理提出了许多新的要求，这些新的要求，也迫使课程管理来一次变革，在变革中适应，在主动适应中提升，为落实立德树人根本任务提供以下主要保障。

第一，进行整体设计，加强统筹，推进教育综合改革。立德树人绝不是某一个方面的任务，只有各个方面形成合力，协同作战，才能真正落实好。为此，要加强五个方面的统筹：加强学段统筹——小学、初中、高中、本专科、研究生教育的统筹，上下贯通，把立德树人的任务落实在各个学段中，使之真正成为根本任务；加强学科统筹——所有学科都要以立德树人来引领，把立德树人落实在所有学科教学中，尤其是德育、语文、历史、体育和艺术学科；加强环节统筹——课程标准、教材、教学、评价、考试等环节都要以立德树人为根本要求进行改革；加强力量统筹——教师、管理干部、教研人员、专家学者、社会人士都要将立德树人作为自

己的任务，齐心协力，为建构立德树人这一育人模式而探索；加强资源统筹——课堂、校园、社团、家庭、社会都应成为立德树人的阵地，开发课程资源，在共同建构的平台上育人。

统筹是一种系统思维，着眼全局，整体设计，形成体系；统筹是一种力量，各种力量、资源统整，形成合力；统筹是一种方法和手段，用统筹的方法和手段，把各种因素整合在一起。立德树人根本任务的提出与落实，要求课程的管理部门，建立统筹思想，加强统筹力度，寻求统筹的有效途径，探索以统筹为特征的立德树人的管理模式。其实，加强这五个方面的统筹，不只是管理部门的事，所有教师既是统筹的对象，也是统筹的资源，还是统筹的力量，所有教师都应增强意识，积极参与到统筹中去，成为自觉的统筹者。

第二，进行学生发展核心素养的研究，使立德树人根本任务落实到每一个学生的发展上。进行学生发展核心素养的研究，是世界教育改革的共同趋势。教育改革面临着新的形势——全球化下人才观的变化、人力资本理论的提出、民主与终身学习理念的进一步确立，提高公民素养日益成为世界各国教育的共同主题。一些重要的国际组织、世界发达国家和地区，都在着力开展学生发展核心素养的研究。面对新时代、新趋势，尤其是面临着立德树人的根本任务，我国也开展了这方面的研究。

研究学生发展核心素养，促使教育改革、课程改革真正走向人的发展。核心素养的研究、明晰，让课程改革着眼于学生素养的提升，而不是着眼于知识、分数、升学。这样以学生发展为本，从某种意义上说，就是以学生核心素养发展为本。研究学生发展核心素养，促使学生发展走向整体素养的提升。各学科素养的培养固然有利于学生素养的发展，但研究、明晰超越学科、跨学科的必备的共同素养，更有利于学生的整体发展，各学科首先要以学生发展的核心素养为总要求、总任务，这也势必推进课程改革的统筹和课程的综合。研究、明晰学生发展核心素养，促使学生根基性的素养持续发展。核心素养之核心，在于素养的根基性。根基性具有基础性和根本性，因而核心素养具有再生性和发展性。就中小学生而言，核心素养的研究与明晰，促使基础教育的性质、任务和特点更为凸显。研究、明晰学生发展核心素养，促使学生核心素养更具时代特点，回应全球化及大数据时代对学生素养的召唤，让学生怀着既有中华文化烙印又有时代气息的核心素养走向世界、走向未来。

学生发展核心素养的研究与明晰，主要是专家学者们的任务，但这绝不意味着教师与此无关。苏州市吴江实验小学近三年来一直在研究语文、数学、英语三门学科的“关键性素养”；南京市力学小学近几年致力于学科特质的研究，研究基于学科特质的“关键能力”；常州市武进湖塘桥实验小学以“身体健、智慧脑、中国心、世界眼”为核心领域，研究小学生发展的核心素养，以素质工程来推进素质教育，落实立德树人任务；江苏省锡山高级中学提出学科宣言，其实质是对学科核心素养的高度概括；尤其可喜的是，南京市琅琊路小学关于小主人发展的核心素养研究已有重要成果……这些研究与实践告诉我们，围绕学生发展核心素养，校长、教师是有所作为的。一是要增强意识，课程改革旨在促进学生发展，旨在提升学生发展的核心素养。教师心中一定要有素养发展的概念，绝不能只有知识和分数。二是要关注国内外关于核心素养的研究，以此来开阔视野，丰富知识，从中得到启发。三是要从学校课程改革的实际出发，针对问题进行学生发展核心素养的小课题研究。事实证明，这种校本化的学生发展核心素养的研究更有效。

第三，努力做道德教师，自觉探索道德课堂的建构。如上所述，教育事业首先是道德事业，教师首先是道德教师。道德教师，绝不是上思想品德课的教师，而是要求教师有较高的道德追求和道德水准，用道德的方式进行教育，同时又能根据学科的性质、任务、特点，自觉地进行思想品德教育。道德教师既立足于学科，又超越了学科。同样，道德课堂绝不是思想品德这一门学科的课堂，而是要求所有学科、所有课堂都要进行道德教育，让道德之光照亮课堂、道德意义之水在课堂里流淌、学生心田里生长出道德绿芽、学生过有道德的生活。江苏省邗江中学近十年来一直致力于道德课堂的建构，取得了可贵的进展和成果，是值得大家学习借鉴的。

道德教师是落实立德树人根本任务的一个重要保障，道德课堂是落实立德树人根本任务的一个重要途径。从另一个角度看，立德树人要求教师首先成为优秀的道德教师，要求所有课堂首先建构成道德课堂。当教师成为道德教师、课堂成为道德课堂时，立德树人的根本任务就能得以落实了。

三、立德树人引领下的几个重要的教育任务

立德树人，立什么德？树什么人？怎么通过立德去树人？我们必须从理论和实践两方面理解好、把握好、实践好。

首先，要在学校文化建设、课程教学改革中有机融入社会主义核心价值观的教育。

习近平总书记用非常生动的比喻来深刻阐明核心价值观教育的重要意义。他说，核心价值观是最大公约数。最大公约数，可以形成共识，具有强大的凝聚力，团结大家去实现共同的理想。他又说，加强核心价值观教育，就是帮助青少年扣好人生的第一粒扣子，如果第一粒扣子扣错了，剩余的扣子都会扣错。核心价值观的教育关乎学生发展的起步，更关乎学生未来的发展，因此不仅具有十分重要的现实意义，而且具有重要的战略意义。习总书记又说，核心价值观其实就是一种德，既是个人的德，也是一种大德，是国家的德、社会的德。论述十分精辟、十分精彩。课程改革、教学改革就是要努力地去寻找最大公约数，建构个人之德和社会公德，帮助学生扣好人生第一粒扣子。

寻找最大公约数，找准第一粒扣子，首先要搞清楚什么是价值。对价值有许多定义和解释，无论何种解释，有一个问题是和价值紧密联系在一起的：理想。南师大鲁洁教授说：“价值是理想中的事实。”确立起崇高的理想，听从理想的召唤，执著地去追求理想，在理想的光照下去探索、去创造，这就是价值。课程改革就是要帮助学生树立远大的理想，为实现中华民族复兴的中国梦，从现在开始，用自己的努力一步步地去践行。无论

是国家层面的、社会层面的，还是个人层面的，社会主义核心价值观都应成为学生共同的理想，成为永远的追求、永远的践行。

社会主义核心价值观应当融入在学校文化建设中。习总书记说，核心价值观是文化软实力的灵魂，是文化软实力建设的重点，它决定着文化的方向，体现着文化建设的最深层次的追求。学校文化建设绝不仅仅是几座雕塑、几面墙壁、一座小桥、一座亭子，也绝不仅仅是几句口号、几个要求，而应成为学校的文化软实力，具体体现在学校的精神、教育的核心理念、发展的愿景，以及师生的风貌和形象中。当核心价值观植入学生心灵的时候，校园里才会闪耀理想的光芒。在社会主义核心价值观的引领下逐步建构起自己学校的核心价值观体系，这是一种深层次的文化建构。

社会主义核心价值观应当融入学校课程建设中。课程是价值观的载体，课程要充分体现并真正落实核心价值观的教育。在实施国家课程时，一要认真开发课程内容中蕴藏着的核心价值观的因素，不要被知识、技能教学遮盖，而应让其凸显出来；二要有机渗透在教学过程中，在内容中渗透、在结构中渗透、在评价中渗透、在管理中渗透。此外，校本课程开发，要在充分关注学生兴趣、需要，促进学生个性发展的同时，在开发学校和本土文化的过程中，增强核心价值观的引领意识，改进融入和渗透的方式，用生动活泼的方式来呈现和实施。

价值是需要澄清的，不澄清定会造成学生的价值困惑，甚至产生价值错乱和迷失。问题是谁来澄清？既要让学生学会澄清，又要充分发挥教师在价值澄清中的引领作用。教师的引领作用，不仅在知识的学习、能力的培养中，更应在价值观的判断和选择中。教师引领下的价值澄清，才会使核心价值观的融入真正有效、科学。

其次，要进一步加强和完善中华优秀传统文化的教育。

中央电视台有一档普通节目引起海内外华人的共同关注，几百家媒体予以报道，那就是《中国汉字听写大会》。“汉字”“汉字听写”“汉字书写”成了当时使用频率最高的词语。这是一种现象，这一现象的背后，是对中华优秀传统文化的热爱和思考。每一个汉字都是一个中国故事，汉字里满蕴着中华文化的基因，彰显着中华文化的价值和力量。当多元文化、多元价值涌来的时候，当外语教学不断加强的时候，当新媒体、新手段日益成为大家普遍的沟通交流工具的时候，作为中华文化载体的汉字该怎么办？汉字听写，其实是对中华文化的倾听；汉字书写，其实是对中华文化的书写。听写、书写，成了中华优秀传统文化延续、弘扬的手段，这是一种召唤，也是一种期待，中华优秀传统文化成了鼓舞我们不断前行的力量。余光中在《听听那冷雨》中这么说："杏花。春雨。江南。六个方块字，或许那片土就在那里面。而无论赤县也好，神州也好，中国也好，变来变去，只要仓颉的灵感不灭，美丽的中文不老，那形象，那磁石一般的向心力当必然长在。"的确，中华文化是磁石，是一种向心力，凝聚着中华民族，鼓舞着中华民族。课程改革是离不开汉字的，离不开中华优秀传统文化的；课程改革应当在弘扬中华优秀传统文化中发挥重要的作用。

对中华优秀传统文化，习总书记作了十分深刻的论述。他说："牢固的价值观都有其固有的根本，离开这个根本，抛弃传统，丢掉根本就等于斩断了自己的精神命脉。博大精深的中华优秀传统文化是我们在世界文化激荡中站住脚跟的根基。""中华文化积淀着中华民族最深沉的精神追求，是中华民族生生不息、发展壮大的丰厚滋养。""中华优秀传统文化是中华民族的突出优势，是我们最深厚的文化软实力。"命脉，根基，精神追求，丰厚滋养，突出优势，文化软实力，一个个词闪烁着中华文化的思想光芒，生动、精辟、深刻，这本身就是中华优秀传统文化的无穷魅力，准确地阐明了弘扬中华优秀传统文化极其重要的意义和价值。习总书记用这么一句话作了判断："中国特色社会主义根植于中华文化沃土。"对此，教育应有义不容辞的神圣担当。课程是文化的载体，其本身又是一种文化，同时承担着文化发展的重任。以传承和发展中华优秀传统文化为重任，课程改革才会寻找到根基，回归那丰厚的土壤，获得最深刻的精神命脉和最深沉的精神追求，形成中国基础教育课程改革的突出优势，成为最深厚的文化软实力。总之，中国特色的课程改革应根植于中华优秀传统文化的沃土。

深化课程改革，进一步加强和完善中华优秀传统文化教育，首先要明确教育的核心：爱国主义教育。热爱中华文化，是热爱祖国的重要表现，热爱祖国就要热爱中华优秀传统文化，国家认同说到底是文化认同。太仓市明德初级中学有一座吴健雄墓园，球形的墓体前，有一水池，池中两根短柱顶端各有一个石球缓缓转动着，它们象征着吴健雄通过实验来验证杨振宁、李政道“宇称不守恒定律”的实验原理模型，圆柱体的斜面上镌刻着墓志铭，最后两句是：“她是卓越的世界公民，和一个永远的中国人。”墓园里充溢着中华文化，弥漫着浓浓的热爱祖国的情怀。课程改革就是要让中小学生在中华优秀传统文化的沐浴下，种下一颗颗爱祖国、爱中华的种子。其次，要明晰中华优秀传统文化教育的重点：天下兴亡匹夫有责的家国情怀，仁爱共济、立己达人的社会关爱，正心笃志、崇德弘毅的个人修养；小学低年级要以培养对中华优秀传统文化的亲切感为重点，小学中高年级要以感受力为重点，初中、高中要分别以理解力和理性认识为重点。现在的问题是，如何让中华优秀传统文化滋养、引领课程、教材和教学，如何建设具有中国特色的基础教育课程体系，彰显中国品格和风格。这需要大家共同来研究和探索。江苏省锡山高级中学、南京市琅琊路小学等不少学校在这方面已经取得了重要进展和成果，因此，我们充满信心，也充满期待。再次，要进一步加强爱祖国、爱劳动、爱学习教育，加强人文素养和审美素养的培养。

CURRICULUM

实践智慧：把握课程改革的走向

中国的基础教育正经历着一场伟大的变革：新课程改革。

这场变革已走过了十几个年头。课程改革闪烁着生动的魅力，也展现着课改者的实力。当魅力与实力相遇的时候，就交织成一幅生动而深刻的情境和局面，显现出广泛而深远的意义。

我们不妨用一些比喻。课改好比一次又一次的冲击波，这股冲击波猛烈又充满着温情，冲击着陈旧的理念，冲击着习以为常的行为，冲击着落后的制度。冲击的结果是，新的课程文化得以重建，而这种重建是继承、创新的统一与结合。课程文化的重建，正在深度改变着课程，改变着课堂，改变着学校，改变着学生，也改变着我们。其实，在许多情境中，我们已变成了课程。

课改好比一组组透镜。这一组组透镜，折射出的是我们的理想、信念、责任与使命，还有灿烂的精神和无限的生命创造力，当然也折射出课程、教育的终极价值——教育是对未来的定义。

课程又好比是一片希望的田野。田野之所以有希望，是因为草根的力量。在希望的田野上，我们看到了更大的希望，也正是站在田野上，可以面向未来，走向世界——如今的中国课改是可以和世界对话的。课改好比田野的另一层意思是：课改正在构建着健康、良好的改革生态，而这种健康、良好的生态将持续推进课改。

这些比喻不是凭空想象，也不是坐而论道，它们有一个共同的基石——课改实践。中国的课改永远踏踏实实地走在实践的大路上，深深地植根于实践的土壤，培植着并展现着可贵的实践品格。北京十一学校、山西省实验中学、江苏省南京市拉萨路小学等六所学校，以他们的创造性实践，向我们，也向世界展现了中国基础教育课程改革的品格和风格。值得注意的是，实践品格充溢着理论含量，有着独特的理性思考，这样的实践已经把实践与理论融为一体了。完全可以说，这些学校，以及许多学校已成为理论诞生的地方，是改革的实验室、研究所。

我们最喜欢说的一句话是：永远在路上。的确，课程改革虽说有了扎实的起点，有了伟大的进展，但仍然在路上。只有坚持在这条路上走下去，才会有更伟大的创造，更美好的前景。这条路是没有尽头的，而且在继续前行的路上，还充满着各种不确定性，课改永远是未完成时。尽管如此，这条路还是有方向的，有规则的，呈现着一些清晰的走向，只有把控这些走向，才能摸索出规律，走在改革的轨道上，也才能走在前头。

走向之一：走向课程改革的根本任务。课程改革的根本任务是立德树人，立德树人是发展教育事业的核心所在，是培养社会主义事业建设者和接班人的本质要求，同时也是中国教育所要探索、建构的育人模式。这一根本任务规定了课程改革的终极目标和崇高价值，这也正是课程改革的境界。立德树人，首先要聚焦人、关注人、培养人、发展人，真正确立课程育人、教学育人的理念，并使之成为信念。这意味着并要求课程、教学发生重大的转向：从追求分数转向能力转向核心素养的培养。如果课程改革仍然为了所谓的知识和分数，那是改革方向的根本错误。这样的“改革”，人看不见了，学生缺席了，儿童不在场了，又回到应试教育的轨道上去了。苏霍姆林斯基提出，教师不是教学科的而是教人的，正是这一理念的深刻表达。这不是对学科教学的否定和排斥，而是强调课程的深处是人，教学的核心是人的学习。让课程改革中永远闪现“人”的身影，让学生发展永远成为目的，关注点还在于我们究竟“培养什么样的人”，这就要研究并落实学生发展核心素养的培养。核心素养是世界各国和重要的国际组织共同关注并研究的主题，已成为世界课程改革的重要走向。我们国家已研制了学生发展核心素养体系，也正在以核心素养的指向来修改高中课程标准。这一切意味着课程改革将进入一个新阶段，即以核心素养来统领课程改革。我们要向自己提问的是：准备好了吗？

走向之二：走向课堂教学这一课改重点和难点。课改深化阶段有一些重点，在诸多重点中，课堂教学改革显得尤为重要。课程与教学是相互依存、相互支撑、相辅相成的，课程开发、编制很重要，课程实施——教学同样重要，而且从某种角度看，课程实施在整个课程体系中更具有实质意义。同时，教学改革也是课改的难点。长期以来，教学改革总是难以突破，至今都没有根本性变化，课程改革的目标、要求很难在课堂教学中得以落实。此外，教学改革风生水起，大家都在积极探索和创造，不少教学模式不断涌现。这既体现了教师们改革的自主性、积极性和创造性，也暴露出一些困惑和问题，如何透过“热闹”的表面看到隐藏着的问题？这就要求将课堂教学作为改革的重点来对待，经反思来改进。

我以为，当前教学改革要着力解决以下一些根本性问题。一是要坚持以学生学会学习为核心。教学的实质就是教学生学会学，自主学习，创造性学习，享受学习的快乐。为此，我们必须确立新的师生观——学生都是学习者，在教室里没有纯粹的教师和学生，只有“教师学生”和“学生教师”；改变教学结构——以学为主轴，让学走在前面，让学贯穿教学始终；设计教学活动——以学习活动为载体，促进学生在情境中学习；变更学习方式——坚持接受学习与发现学习相结合，采用多种学习方式，提倡自主、合作、探究学习。二是以思维发展为重点，培养学生批判性思维能力与品质，鼓励学生观察问题、研究问题、创造性解决问题，在课堂里诞生精彩的观念。而这一切都应在新课改的理念下展开。只有课堂教学有突破性进展、根本性变化，课程改革才会真正成功。

走向之三：走向教师创造，让教师成为课程的创造者。课程改革说到底是培养人、发展人的问题，这不仅包括学生的发展，也包括教师在课改中的成长。历史与现实不止一次证明：教师是课改的主体力量，只有充分调动教师的积极性和创造性，课改的理念、目标、要求才能得以落实，预定的目标才能实现。理论与实践也告诉我们，教师应当成为课程领导者，所有课程汇集到学校，都成了学校课程，而学校课程都要在教师的手中成为可实施的课程，成为适合儿童发展的课程。因此，教师即研究者这一理念正在成为现实。

改革的路线也告诉我们，课改既要有自上而下的路线，又要有自下而上的路线，二者需要有机结合。自上而下旨在进行顶层设计，自下而上旨在基层探索（包括个人创造），随着课改不断走向深入，以自下而上的方式来推进将会发挥越来越重要的作用。这样的路线必然让教师成为研究者、创造者。我认为，课程改革成功的根本原因是教师的发展，当教师真正成为课改的主人，他自己也变成了课程。因此，深化课改的重中之重在于教师的发展，而教师发展不仅要树立超前的理念，也要超越专业、超越学科，培养大视野、大格局，最终才会写下大文章。促进教师发展的核心思想是解放教师，让他们有专业的尊严，有发展的平台，有自己的教学主张和教学风格，有自己的话语权。有的学校提出了“教师课程”的概念。这一概念是从课程开发、实施的主体提出来的，其实质是教师是优秀的课程领导者。课改走向“教师创造”的这一趋势已在深情地召唤我们。

走向之四：课改走向理性。课程改革需要激情，激情可以成就课改，可以成就教师。激情带来的是一种极富想象力的认知、把握世界的方式，在任何时候都应该保持激情。认知世界还有另一种方式：理性。随着课改的深入，我们在保持激情的同时，要培植自己的理性精神。这主要表现在：第一：注重课程的科学性和规范性。课程是有规定性的，符合规定性，才具备课程的意义，否则就不是真正意义上的课程。所谓规定性，是指满足课程的各有关要素，并以此形成课程纲要或方案，这样才可以避免课程的随意性、盲目性和碎片化，才能保证课程水平和质量。当前，校本课程纲要的研制十分迫切。走向科学和规范，其实质是提升课程的专业化水平。第二，走向制度建设。课程改革必须有道德力量，但是道德不能解决一切问题，还需要有制度的保证。当前我们需要研制课程研究制度、课程开发制度、课堂教学制度、考试评价制度，等等。制度具有很强的刚性，但是制度的核心并不是束缚人，而是解放人，让师生充分发挥自己的积极性。制度应当让大家共同参与制定，让制度成为自己的事，一旦形成就应当严格遵守。第三，检视、反思已开发的课程，不追求数量，克服越多越好的误区。检视、反思的过程就是走向理性、走向实践智慧的过程。反思品质的提升是课改者成熟的标志。

以上走向只是改革潮流中几个重要趋势，随着改革的深入，还会有新的走向，我们必须保持敏感性，提升自己的判断力，不断在试错和创新中，探索出课程改革的新路。

CURRICULUM

为儿童幸福前行铺设好“跑道”

课程是一个永恒的课题，它是在不断地被追问的过程中向前发展的。其实，对课程的追问就是对我们自己的追问，我们发展了，课程才会发展。所有追问可归结为一点：我们该怎样为儿童的幸福前行设计或铺设好“跑道”，让儿童在“跑道”上行走得自由而规范，快捷而有效？我们既是提问者，又应该是解答者。

一、课程并不神秘，但也不简单

课程学者奥利瓦曾说：“与教育的其他方面诸如管理、教学和督导等行动定向了的术语相比，课程确实具有一种神秘的味道。”这是因为，课程尚是一个未确定定义的概念，学术界对课程多样化的界定，以及相应的解释、描述，常使我们陷于困惑之中。同时，长期以来，我们对课程只有忠实执行的义务，只知道教学，而对何为课程或课程究竟应该怎样定位，知之甚少，神秘感的产生理所当然。新一轮基础教育课程改革的一个重要变化，就是在打破课程神秘感的基础上，让我们走进课程，在与课程朝夕相处中，逐步理解课程，研究课程。如今，不少中小学、幼儿园都在研究、改革和构建课程，课程的校（园）本化及校（园）本课程的开发已超越概念而成为了实实在在的课程行为和课程形态。与此同时，课程管理政策和管理理念也相应发生了变化，这是一个巨大的进步。

但是，值得我们注意的是，在破除课程神秘感的同时，课程及课程改革的简单化现象和倾向正在悄然发生。主要表现在：课程的泛化，即简单地把日常生活等同于课程，课程的特质被淡化；课程的随意化，即把课程的生成当作课程的随意编织，甚至信手拈来，课程目标模糊甚至丢失；课程的粗制化，即无论是内容的选择、编排，还是方式的确定、呈现，都缺乏深入的研究和精心设计，课程缺少应有的框架和明晰的思路，课程价值被降低；课程的失衡，即注重过程而忽视结果，注重方式的生动而忽视思维的深度，注重学生的探究而忽视教师必要的指导和监控。课程要追求简约，但绝不是简单化，因为简单化不仅使课程的价值和意义失落，也使课程的质量和水平下降。课程并不神秘，但课程也不简单。我们反对神秘感，但主张保留课程的神圣感。为此，我们要在以下三个方面对课程进行深刻的思考和准确的把握。

1. 追溯课程的原义，把握课程的特质

课程的原义为跑道，这一生动、形象、浅显的比喻，暗含着丰富的课程意义：比赛有终点——课程应有鲜明的目标；比赛要按照划定的跑道进行——课程应有计划性；比赛是一个过程，赛手的状态和感受各不相同——课程要关注过程及过程中的体验；比赛是一个不确定的过程，但它离不开规定性——规定性和不确定性的结合构造了课程完整的意义……如此等等，我们还可以有多种解读和演绎。回到课程的原义，我们不难理解课程具有的基本特征，即目标性、计划性、过程性等。往根本上说，目标性、计划性等规定性始终是课程的本质特征。

强调课程的规定性，与课程改革的理念并不相悖。跑道的喻意原本就是两个方面，即关注“道”（内容、方式等规定）和关注“跑”（过程中的不确定性）。以往，我们只是过分关注了“道”，只强调规定性，而忽视了“跑”，忽略了过程中的生成性。针对这一弊端，新一轮课程改革更加强调过程性与生成性，目的是帮助儿童逐步培养起自主参与、批判思维的品质以及创新的意识和实践精神，但并没有忽略或轻视课程的规定性。我们不能陷入二元对立的思维泥沼，既不是非此即彼，也不能顾此失彼。当下课程的泛化、随意化以及课程的失衡，实质上就是丢弃了课程的目标性、计划性等必要的规定性。

2. 反思“回归生活世界”，把握课程生活的实质

让课程回归生活，让生活回归课程，实现由“科学世界”“书本世界”向“生活世界的回归”，是新一轮课程改革的理论主张及实践诉求。为此，我们的努力正在改变着学生单一和枯燥的生活状态，改变着教育的苍白和乏味。但是，在这一问题上似乎做过了头。其一，胡塞尔所提出的“生活世界”是现象学哲学意义上的“先验现象”世界，在这种“生活世界”里，“科学知识”是被“悬置”起来，被“括出”去的，离开了科学知识，就不会有教学，因此，“教学无法回归现象学意义上的‘生活世界’”（郭华语）。尽管我们对现象学哲学了解甚少，但我们可以作出正确判断：“悬置”和“括出”知识，实际上是排斥知识，而排斥知识不是课程的应有之意，也不是课程改革的追求。其二，“不管学校教学、课程的内容怎样不断地随着时代发展而变化，作为‘教学过程中的学习成长’所面临的基本任务性质，不同于‘日常情境中学习成长’的性质这一点不变，那是进入符号抽象意义的精神世界所必须学习的，与通过日常生活实践获得现实世界生存经验意义的学习之区别。如果没有这样的性质区别，那么学校教学这种专门的、人为的学习形式就失去存在的根基”（叶澜语）。课堂教学与日常生活中的学习有不同的性质、任务和功能，课堂教学应与经验的生活保持一定的距离。幼儿园强调把幼儿的一日生活作为课程来看待，在理念追求上无疑是正确的，但不能把课程与日常生活画等号，否则，课程就没有存在的必要，课程也就不成其为课程。课程的泛化、粗制化等简单的做法，实质上是对课程、教学的特征缺乏正确的认识。如何在课程、教学与经验生活中寻找到必然的联系，是课程改革亟待研究的问题。

3. 从与义务教育课程的比较中，把握幼儿园课程的特点

义务教育课程和幼儿园课程均是基础教育课程，其改革的六大目标在

《基础教育课程改革纲要（试行）》（以下简称《课程纲要》）中作了明确规定。然而，幼儿教育属非义务教育，其教育任务、课程内容、教育方式等方面与义务教育有诸多明显的区别。

一是在课程结构上。基础性、均衡性、综合性、选择性是基础教育课程的总要求。然而，课程研究揭示，年龄段越低，课程的综合程度越高。因此，相比之下，幼儿园课程更应突出综合性，是高程度的综合课程。以五大领域为例，其目的就是在超学科理念的指引下，消弭学科界限，整合教育内容，在此基础上去寻求领域间的沟通，便能构建更高程度与水平的综合课程。

二是在课程内容上。义务教育课程要加强与生活的联系，丰富学生的经验生活。较之义务教育，幼儿园课程更要注重与生活的联系。这种联系首先表现在课程的逻辑起点不在知识，而在幼儿的日常生活，包括生活经验、兴趣及需要。其次，表现在教育的情景是一种生活性的情景。再次，表现在幼儿园的课程往往是在“田野”中实施的，其课堂范围自然更大。但需要再次提醒的是，这种联系更多的是“意义”层面的，而不是事实层面的，其中知识的价值不可轻慢，也不可丢失。

三是在课程的管理政策上。义务教育课程实行国家课程、地方课程、校本课程三级课程管理。较之义务教育课程，幼儿园有更多更大的课程自主权，创造课程的空间更大，课程生成的可能性也更多。从根本上说，幼儿园课程就是园本课程，“国家课程”对幼儿园来说，主要是国家规定了幼儿园教育的目标、课程的领域以及完成的要求，“地方课程”则主要是一种课程资源的开发和利用。因而，幼儿园课程应更具个性和特色。

二、儿童永远是课程的主语和主旨

“跑道”是为儿童铺设的，既是为了他们今天的快乐，也是为了他们明天的幸福。一切为了儿童的发展，一切为了中华民族的振兴，这是课程改革的核心理念，也是课程改革的最高境界。理念的提升和确立要经过转化与转变等多个重要环节；促使着转变和转化的，应是认识的不断深刻，逐渐使理念成为教育的信念，最终成为教师的人格特征。这是一个漫长而艰巨的过程。

1. 儿童是课程的主语

儿童是课程的主语，包含以下几层意思：（1）课程是为儿童的。这几乎是一个毫无争议的话题，但实际上却不尽然。比如，一些所谓的特色课程其实是为了学校、幼儿园的声誉，而所谓的“品牌课程”，其间也总是杂糅着功利和浮躁。（2）儿童是课程的组成部分。儿童是课程这个共同体中的重要成员，他们不仅是课程的学习者、接受者，而且是课程设计、组织、评价的参与者，同时也是重要的课程资源。（3）儿童是课程的创造者。儿童有创造课程的潜能与欲望，在教师的组织、引领下，他们可以提出问题，根据生活经验，自己设计和展开课程。

2. 促进儿童发展是课程的主旨

促进儿童发展是课程的出发点，也是课程的落脚点。要实现这一主旨，课程必须从儿童出发，而不能从成人的需要或从知识的体系出发。因为成人的需要不一定是儿童的需要，甚至成人的需要有时还会使儿童“伤”在起跑线上；而从知识体系出发，又常常会忽略儿童的需要，甚至把儿童的学习概念化，把儿童工具化。

从儿童出发，必须细心观察、了解儿童的经验、兴趣和需要，这是课程设计的重要前提和环节。因此，观察、了解不仅应当成为教师必不可少的一项基本功，而且还应该使其制度化和科学化。比如，对儿童兴趣的观察和了解，既要重视儿童的显性兴趣，也要重视儿童的隐性兴趣；既要满足儿童的兴趣，又不能仅仅停留在兴趣的表层，为兴趣而兴趣。从兴趣出发，为的是走向以知识为中介的价值活动。同样，要观察和分析儿童的需要，课程要站在“最近发展区”，发展儿童的需要，尤其是儿童思维发展及心智丰富的需要。这样，课程就能切近儿童的实际，又引领儿童前进。实际上，儿童课程的设计，就是为儿童的发展列出一份清单。

3. 儿童对课程的挑战

课程是在儿童的挑战中发展的，只有经受过儿童挑战的课程才真正是儿童幸福前行的“跑道”。

儿童对课程的挑战，首先表现在儿童是一种可能性。加拿大教育现象学家范梅南认为：“看待儿童其实是看待可能性，看待一个正在成长过程中的人。”可能性是一种不确定性。赫拉克利特说：“儿童教育是一种充满不确定性的事。”教育就是要在无数可能性和不确定性中，发现儿童发展的可能方向和发展的最大可能性，并开发这种可能性，使之逐步成为现实。这样的教育才充满创造性。同样，与之相应的课程才会有活力和魅力。但问题往往发生在设计和组织课程时，我们常常忽略儿童发展的可能性，或者把种种可能性仅视为一种可能性（这实际上是抹杀了儿童的可能性）。这样，课程就只有规定性、强制性，而由此导致的儿童对课程的不满意、不喜欢，甚至阻碍儿童的发展，便在所难免。因此，儿童的可能性和教育不确定性的挑战，要求我们为不同的儿童设计不同的课程，增强课程的灵活性，这在班级幼儿人数控制的条件下，是可以做到的。儿童对课程的挑战，还表现在当今的儿童已发生诸多变化。一是社会的开放、价值的多元，使儿童面对越来越多的选择。儿童辨别、选择信息的能力有限，多元价值常常扰乱儿童幼小的心灵，以致价值混乱。课程应当是开放和多元的，但必须有鲜明的价值引导，帮助儿童增强辨别与选择能力。二是电子媒介不可能保留任何秘密，“如果没有秘密，童年这样的东西当然也不存在了”（波滋曼语）。这样，儿童与成人间的区别实际上逐步消失了，而童年也面临着人类历史上又一次消逝的危险。因此，课程应还给儿童真正的童年，要以儿童的眼睛观察世界，以儿童的心灵想象世界，以儿童的方式看待世界，保护儿童的心灵，让童年在课程里储藏起来、纯洁起来、幸福起来。三是追求娱乐的生活方式，影响着儿童的学习态度。儿童喜欢看电视，这也是一种学习。但电视把生活的每个方面都转变成了娱乐的形式，而儿童常常把这种娱乐形式诉诸课堂的学习，企求把学习当作是一种无要求、无训练的轻松的娱乐活动。课程学习的过程应该是快乐的，但它并不排斥刻苦，它应该引导儿童的学习方式和生活方式。

4. 认识和发展儿童：课程的积极回应

面对今日儿童之挑战，课程改革应有积极的回应。这种回应应聚焦在如何进一步认识和发现儿童上，而认识、发现儿童有时又要回到原点上。

儿童是自由者。文艺复兴时期的教育家伊斯拉谟认为，“儿童”这个词在拉丁语中意味着“自由”。自由是儿童的天性，是创造的保姆。课程应回复和发展儿童的自由天性，但这种自由主要是思想的自由，通过思维的挑战去促进思想的开放和多元，倡导儿童有自己的见解。为此，课程应拒绝内容思想的平庸。

儿童是探索者。蒙台梭利说，儿童是“上帝的密探”，苏霍姆林斯基说，儿童是“世界的发现者”。课程要为儿童的探索提供条件和机遇，从某种意义上说，儿童课程应该是探索的课程，是鼓励和指导儿童发现问题、研究和解决问题的过程，这是课程最大的价值。当然，其中伴随着知识和道德。

儿童是生活的启示者。英国大诗人弥尔顿说：“儿童引导成人，如同晨光引导白昼。”明代学者李贽认为：“夫童心者，真心也。……若失却童心，便失却真心，失却真心，便失却真人。”因此，儿童不仅仅是受教育者，教师也应向儿童学习，把自己当作“一个长大的儿童”，和儿童在课程中一起成长。我们还可以对“儿童”作其他的解读。基于对儿童的认识、发现，才可能创造出优质的课程，为儿童幸福前行设计、铺设好“跑道”。

CURRICULUM

把握平衡：课程改革的一个重要命题

新一轮基础教育课程改革有很多关键词，比如：分科与综合，预设与生成，接受与探究……这些关键词提示我们：改革的一个基本要义是寻求平衡，有时候平衡了可能就是创新；课程改革、教学改革要着力研究课程改革、教学改革中的各种关系，着力研究如何在把握各种关系的平衡中向深层次前进。事实正是这样，课程改革中我们遇到很多困惑，尤其是教师，有时显得十分茫然和无措。比如，强化课程生成，预设还要不要，“设”什么，怎么“设”？探究很重要，接受还要不要，接受中有没有探究？学生应该有一个自由状态，纪律还要不要，纪律与自由是不是排斥的？如此等等。我们的教师很苦，需要明晰的指点。改革不能搞所谓的“矫枉过正”，我们要把握的秘诀是寻求平衡，在平衡中深化，在平衡中寻求突破。平衡就是不要绝对化，走极端。课程改革要进入关系范畴，研究和把握关系的和谐。当然，课程改革需要热情，也需要理性。

一、价值的多元与引导

我们生活在一个“价值多元”的社会中，价值的多元能够丰富社会的多样性，促使社会发展和更加富有生气。课程改革勇敢地跨出了“价值多元”这一步。“价值多元”是在过去同一性的课程结构和秩序上的发展与超越，改变了教育的秩序观、质量观。价值的多元带来课程的丰富，带来课堂教学生命的活力，带来学生个性的发展。循着这样的改革精神和思路，现在的课堂变得十分活跃和精彩，学生对事件的解读和表达（无论是书面的还是口头的），多元、丰富，具有独到的见解和鲜明的个性。这是了不起的进步。在这方面，我们还做得很不够，要走的路还很长。但是，我们不能走极端，一年级的一篇语文课文——《蜗牛的奖杯》，说的是蜗牛原来会飞，得过飞行冠军的奖杯，后来骄傲了，背上奖杯走路，躲在奖杯里睡觉，慢慢地，奖杯变成了沉重的硬壳，于是只能爬行。显然，课文告诉我们一个重要的道理：在荣誉面前要谦虚，不能为荣誉所累，要不懈地努力。这种价值取向不得含糊，这种价值引导完全应该。如果教师让学生扮演蜗牛，只是多元体验冠军的快乐，体验爬行的困难，而不在对待荣誉上作深入讨论和体验，语文教学如何承担起教学生学会做人的重任？我们不能在破除话语霸权以后走向“价值中立”，消解教育对价值的引导和追求，消解对真假、善恶、美丑的辨别，消解对错误价值取向的批判。关于多元解读与价值引导的平衡，我以为有三种情况：一是完全由学生多元理解和表达，不需要进行“核心价值”引导，因为，多元理解与表达本身就是一种重大的价值观。比如让学生体验和想象当冠军的快乐和原因。二是在多元理解和表达以后，教师必须有鲜明的价值引导。比如奖杯变成了硬壳，原因是什么，教师必须有明确的价值指向，而且应该“敲一敲”，有时还要“挖一挖”。当然，还有一个怎么引导的问题。三是有些问题应在价值取向确定后，围绕“核心价值”作多元的阐述和体验、感悟。综上所述，在多元解读与价值引导的关系范畴上，应取得平衡，不能非此即彼。

二、确定性与不确定性

和多元化紧紧联系在一起的是不确定性。新课程、教材以及教学中增加了不确定性，为课程的调整和生成提供了空间，为教学过程的开放和选择提供了可能，为教师和学生的创造提供了机遇。不确定性，对教师和学生既是机遇，又是挑战，就是让教师和学生在不确定性中去想象，作深层次的追问，培育质疑和创新的精神。但是，课程、教材、教学不应全是不确定性的，而是由确定性和不确定性达成一种平衡，全是不确定性，学生就会迷茫、疑惑，失去信心，失去知识的准确性，失去知识的线性积累。一个经典的例子是“雪化了是什么”。说“雪化了是春天”，当然是一种超越知识的想象，是对事件更深层次的透视和理解，大胆、浪漫、富于创新。但是，不能因此而否定“雪化了是水”的答案。如果我们的课程、教材、教学都像“脑筋急转弯”“智力大冲浪”那样的游戏，那还有什么真实性、科学性可言？多尔说：“为了促使学生和教师产生转变和被转变，课程应具有‘适量’的不确定性、异常性、无效性、模糊性、不平衡性、耗散性与生动的经验。”后现代课程理论也并未把我们引向极端，“适量”正道出了确定性和不确定性的平衡关系，有时需要模糊，有时却要强调清晰、准确；有时需要异常，有时却要强调常规性；有时需要生动的经验，但有时要强调理性的思考和积累。如果我们把确定性和不确定性整合起来，那么，课堂教学就会永远充满张力。

三、人文性与工具性

长期以来，语文只谈工具性，语文教学只有工具性，甚至偏狭到工具主义和技术主义的胡同里，学生遭受到的是字词句篇的倾盆大雨和听说读写的猛烈轰炸，好奇、想象，赞美、抨击……都被淹没了，创新的萌芽也被窒息了。后来“人文”得到了解放。但是，我想说的是，语文就是语文，语文就是人文性与工具性的统一，是二者的结合，不是二者的偏废，是二者的平衡，不是二者的排斥。小学语文五年级有篇冰心的文章《只拣儿童多处行》。作者来到颐和园大门，被一群孩子所吸引，她一直追随着孩子们去找春天。文章最后说：春天在哪里？记住“只拣儿童多处行”。在冰心的心里，孩子们像春天那样美丽、可爱、充满活力，孩子们就是春天，有了孩子就有了春天。文章的深刻含义是不难领会的，文章传递着春天的信息，洋溢着对春天的爱、对孩子们的爱。课堂里，学生在教师的引导下，展开想象的翅膀，畅谈对春风、春水、春草、春花的体验、感悟，赞美着春天的美和春天的活力，课堂里飘荡着爱，洋溢着人文精神。如果离开描写春天的字词句篇，不去细嚼，不去品味，不去鉴赏，不去比较，如果离开听说读写，不在听说读写中体验、领会、理解、表达，那“孩子像春天那样美”“孩子就是春天”“有了孩子就有了春天”只能是空想、空谈；那可能就不是语文课，而是思想品德课，或是班队活动课，或是思维训练课。那么，新生代只有理想、幻想，而没有真才实学，我们民族的文化传统何以继承、弘扬？我们民族的深刻性在哪里，文化的根又在何处？陈思和先生在《新世纪的人文与科学漫谈》中提倡，有科学精神的人文，有人文精神的科学，而且他坦诚地说：“这不是为了玩文字游戏，只是想说明两者的内在联系。”把陈思和先生的话改造一下，迁移到语文上来，不妨提倡有工具性的人文，有人文性的工具。

四、自主学习与合作学习

学习方式的变革，使我们的教育教学找到一条回家之路——教育教学首先是学习，学习是教育教学的本源；研究学生的学习，定要研究学习方式。课程改革提倡多种学习方式，包括自主学习和合作学习。当下，以小组学习为主要形式的合作学习几乎见于每堂公开课或观摩课，而其必要性、有效性是一个大大的“？”。究其原因，是没有认识到，更没有把握住合作学习与自主学习的关系。有家报纸进行问卷调查：世界上什么人最快乐？统计结果显示这四种人：用沙子堆城堡的孩子，因为他充满着好奇、想象和期待；刚完成作品的雕塑家，因为他充满着成功感；挽救病人生命的医生，因为他展示并提高了自己的医道水平；给婴儿洗完澡的母亲，因为她向幼小的生命撒满了爱的阳光。据此，我们联想到，真正有效的学习，应该是充满爱心，充满好奇、想象，充满期待、成功感的。有效学习的主体是学生，其要旨是自主。透过各种学习方式，我们应发现和把握学习方式的内核——自主。因此，自主学习不仅仅是一种学习方式，更重要的是揭示了学习方式的本质，自主是决定学习效果的核心因素。任何丢弃了“ 自主”的学习方式，只能是形式，势必演变为一种教学的环节、一种教学的程序，因而失去了学习方式意义，失去了活力，最后失去的是学生。最有效的学习方式是个性化的学习。在讨论小组交流、合作学习的时候，我们要特别追问自己几个问题：是实质还是形式？是教学环节还是学习方式？是自主的还是被动的？是有效的还是低效或是无效的？实践前的设计、实践中的调整、实践后的反思都得紧紧围绕“自主”去进行。如果我们把握了自主与合作学习的平衡、自主与研究性学习方式的平衡、自主与接受性学习的平衡，那么，学习方式的多样性及其有效性可以把握在手。

五、自由与纪律

记得美国布朗克斯学校的校训是:“自由而严格”。校长先生说，让学生非常自由，很容易做到，对学生要求很严格，也不难做到，难就难在既自由又很守纪律，既宽松又很严格。自由与纪律之间有一种张力，在寻求二者的平衡中去释放和放大这种张力。这是很难的一个命题。走进新课堂，学生活跃了，自主性活动增加了，个别化的教育尝试了，让学生保留自己的一份权利了，很好。但是，我们常常发现，有些学生专注于自己的活动，置集体活动于不顾，游离于教学活动之外；教师让学生“自由 ”，很少有教学的组织，很少有纪律的严格，于是教学进度缓慢，教学效率低下。自由总是与纪律相伴相随的，在美的华人常说，在美国享受了自由，但同时享受了纪律，有了纪律，才能享受自由。真正的自由是心灵的自由，思维的自由，要追求自由心灵的放飞，而不要刻意追求“肢体”的自由；追求思维的活跃，而不要追求形式上的热闹。其实，课堂教学是变与不变的统一和平衡，变是永恒的，是主旋律，但也应有不变的，那就是课堂教学的“游戏规则”。当然，规则也会发展和创造。在变与不变中，我们去构建课堂教学的新秩序。新秩序，新就新在自由和纪律的平衡，鼓励和严格要求的和谐，规范和解放的统一。

CURRICULUM

课程标准对教学行为改变的牵引

一、“课标意识”与“教学行为”应当成为我们关注的两个关键词

义务教育课程标准（2011年版）的颁行，意味着基础教育课程改革又一次出发，并进入到一个新的阶段。这一新的阶段，我以为显著的标志是学科教学将会发生更深刻的变化。

课堂教学是课程实施的基本途径和方式，用施良方的话来说，“是整个课程编制过程中的一个实质性的阶段”。这一实质性阶段的展开由许多因素支撑，在诸多因素中，起着重要影响的是课程标准。因此，如今观察、讨论课堂教学改革，必须着重于课程标准如何在学科教学中落实、体现，如何影响、改变教师的教学行为，如何推动课堂教学的变革。概括起来，似乎是两个关键词：课标意识、教学行为改变。二者的关系是：课标引导着教学行为的改变，教学行为的改变折射出课标意识内化与外化的程度；课标意识增强了，教学行为改变了，课堂教学改革才能更加科学、更加深入；课程标准的理念、目标、要求、任务得到了较好的落实，课程改革就会在教学的内核上，朝向深处推进。

二、教学是由一系列行为构成的

有专家指出:"教学世界当中的基本现象是人的各种类型的'行为'而不是物质现象","能够直接观察到的基本现象是人的'行为'","看不到'行为'就等于没有看到'教学'"。可以说,教学就是由一系列行为构成的,因而,行为的改变,在很大程度上就意味着教学的改变;变革教学,在很大程度上意味着变革教师的教学行为。最终我们可以作这样的判断:变革课堂教学往往可以从变革教学行为入手,并以此求突破。

似乎无需对行为作出一个界定,但事实是,必须对行为与教学的关联作出阐释。董洪亮先生在他的著作中举例说,就好像一幅画,它确实是由无数的斑点和线条构成的,但你总不能把一幅画仅仅看作一大堆斑点和线条的总和。因此,对教学世界的观察从行为开始,但是,仅仅看到行为是不能描绘出教学世界的完整图景的,"为此,我们需要引入'行动'的概念。就是说,教学是一种'行动'"。"借助思维和想象","在观念当中建构比'行为'更大的意义单位",这"更大的意义单位就是'行动'"。言之有理。这样的研究与分析是深入的,对我们深刻的启示是:对教学的观察与研究不要只停留在"行为"上,要把"行为"与"行动"联系起来。我以为,实践中行为与行动是不可分的,在学界,"行为"与"行动"这两个概念也常常被等同地使用。所以,讨论教学行为实质是讨论教学行动。无论是美国的克里克山克,还是中国的崔允漷,他们都使用了教学行为这一概念,克里克山克著作的书名就是《教学行为指导》。不过,一定要有这样的意识:要透过对教学行为的关注,把握教师的教学行动。

三、课标对教学行为改变牵引的两个主要方面

课程标准对教师教学行为的影响主要是牵引。所谓牵引,主要意思是:(1)课标明确了教学包括教学行为改变的理念定位和改革方向,教学包括教学行为应该朝着这一方向前行,体现课标的理念;(2)课标以具体

的目标和要求，以及实践建议带动着、促进着教学的展开，包括教学行为的改变，教学不是无目的展开的，教学行为也不是无准则随意改变的；（3）教学展开、教学行为改变一旦有点偏离，教师就应以课标为依据通过各种方式来提醒自己、调整自己，课标本身也会提供种种帮助。牵引这一日常用语，生动而深刻地表达了课标之于教学和教学行为的作用和意义。当然，牵引是被动的，当教师把牵引当作导引，就会走向主动和自觉。

课标的牵引主要表现在两个方面。一方面是规范。比如，学科课程的性质、理念、特征以及课程内容和要求，都要求教学行为正确地且是准确地来体现。教学是一种规范化行为，教学需要建立常规，规范化的行为才能保证目标的实现。研读课标，应当具体研读课标的规范化要求是什么，并依据课标精神建立新的课堂规则、秩序和制度。另一方面是创造。课标的基本指导思想还在于鼓励教师从实际出发去创造。因此，课标既有具体的规定，又给教师实施留下了很大的空间。教学是一种个性化的创造性活动，创造是教学的生命，认真地执行课标，并不否定、排斥创造，从另一个角度去看，创造是更高层次的规范，规范的价值就是促进教师创造。研读课标，要善于从中寻找和发现创造的空间在哪里，可能性有多大。

比如，品德与生活规定这是一门“以小学低年级儿童的生活为基础的、以培养具有良好品德与行为习惯、乐于探究、热爱生活的儿童为目标的活动性综合课程”；品德与社会规定这是“在小学中高年级开设的一门以学生生活为基础、以学生良好品德形成为核心、促进学生社会性发展的综合课程”；思想品德规定这是一门“以初中学生生活为基础、以引导和促进初中学生思想品德发展为根本目的的综合课程”。不言而喻，品生、品社、思品三门课程都是国家专设的德育课程，都以生活为基础，在生活中进行，都是综合课程或具有综合性，这些都是明确的规定，具有规范性，不能有任何疏离。但是，生活德育该怎么进行？综合性体现到何种程度？究竟如何看待德育中的道德认知？……有许多课题需要研究，需要教师去创造。课标的这种规范和鼓励教师创造，是对教学的牵引，这种牵引的实质是对教育理念转变和教学行为改变的导引。

四、课标对教学行为改变的根本牵引是坚持以学生学会学习为核心

课程标准对教学提出了建议，建议有不少具体的内容，这些建议聚焦在教学核心问题上，即引导学生学会学习。教学的深刻性变革或曰根本性变革，不在教学的有效性，而在学生有没有主动学习，有没有学会学习，有没有创造性学习。或者说，真正的有效在于学生学会学习。这是由教学的本质与核心决定的。何为教学？在汉语的字源上，先有“学”字，后才有“教”字，而且，“教”字字形的每一次变化，都毫无疑义地保留了“学”的因素。这说明人类一开始的行为是学习而非教学，所谓教学，是在学习的规定性中后来增加了教的规定性。在英语世界中，关于教学的定义，含有意向性和成功性的描述，即教学有一种意向和期待，那就是引导学生学会学习，在学习中获得进步和成功。陶行知早就指出，教学不是教和学，而是教学生学，因此他把教授法改为教学法，学生怎么学，教师就该怎么教，教的法子来自学的法子。哲学家海德格尔明确地提出“让学”的概念，他说教比学难，难就难在让学。因此，联合国教科文组织著名的报告《学会生存——教育世界的今天和明天》中非常明确地指出，“学习过程正趋向于代替教学过程”。新一轮课程改革的基本精神和方向，就是引导学生在积极的接受性学习，尤其是自主、合作、探究的学习方式变革中学会学习。

课程标准集中体现了新一轮课程改革的精神和方向，坚持了教学的本质和核心。教师的一切教学行为都应紧紧地指向这一本质和核心，亦即教师教学行为改变的目的就是要有利于学生学会学习，离开这一宗旨和原则，评述教师的教学行为，无论你讲述得如何精彩、生动，都是不到位的，无论你发现了教师教学行为存在的多少问题与缺陷，且是准确的，都可能只是“芝麻”而不是“西瓜”。需要说明的是，我们不是不要关注教师的教学细节，不是不要改变教师具体、微小的教学行为，而是说，即使在评述和改变这些教学行为时，也不能忘掉，是在“引导学生学会学习”的主旨下去发现和评述、去引导教师改变的。大处着眼，小处着手，这样的细节才有可能影响或决定教学的成功。

五、引导学生学会学习，要善于设计科学的适当的学习活动

学习活动与学习目标、评价任务有着密切的关系。学习目标确定后，要有相应的评价任务跟进，然后就要考虑如何设计学习活动，以落实评价任务，使学生表现出学习目标所期望的行为。有学者用以下的图来表示这三者的关系：

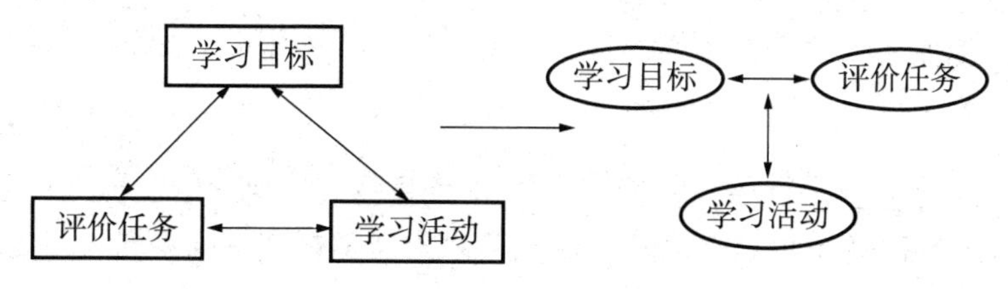

这一图形清晰地告诉我们，学习目标、评价任务与学习活动是教学设计的三个组成部分，是一个整体，具有内在的一致性。学习目标是灵魂，评价是判断学习目标是否落实的手段，学习活动则是落实学习目标的载体。可见，实现教学的核心，推动学生学会学习，设计适当的学习活动是多么重要。

设计学习活动必须考虑以下一些主要因素：学习主体——基于学生，为了学生，让学生在学习活动中成为主体；活动内容——依据课程标准、教学内容及学生的经验和需要确定活动的主题与内容；活动任务——这是学习活动设计的核心，活动任务涉及活动安排和活动方式；活动流程——活动的程序和主要环节；活动组织——人员及其分工、工具、时间、地点等的落实；此外，还有活动时间长度、活动规则、活动成果、活动对应的教学行为等等这些基本因素，都需精心设计和安排。可以说，这些基本因素的设计、组织、安排，本身就是一种教学行为——设计学习活动的教学行为；其中所提及的“活动对应的教学行为”则是活动过程中具体的行为。这两个方面的教学行为都很重要。

六、教学行为的改变必须有利于学生“精彩观念”的诞生

教师的教学行为影响着甚至决定着学生的学习行为。教师的教学行为不仅要指向学生的学会学习，而且要指向学生的个性化学习，培养学生的创新精神和创新能力。我坚定地认为，教学改革的最高立意应当是让学生创造性地学，培养学生的创新精神和创新能力应当是教学的使命。遗憾的是，当今不少教学还被淹没在知识传授、习题训练，以及做不完的作业中，创新只剩下这一概念的躯壳，只成为偶尔提及的而无实质性内容与行动的口号。创新被淡化、被边缘化，以至被无情地驱赶。请问，“三只苹果”曾经改变了世界，而“第四只苹果”能掌握在中国人的手里吗？无论是“三只苹果”，还是“第四只苹果”，都是创新的代名词或曰符号。真的，改变世界需要创新，而创新应当从教学变革开始，从教学行动、学习方式变革开始，创新应当在课堂里，课堂、教学应当是创新的课堂、创新的教学。

所谓课堂、教学中的创新，美国著名的教学论教授爱莉诺·达克沃斯说，创新对学生来说主要是精彩观念的诞生。她又说，精彩观念的本质特性是独特性，它是智力的核心。我认为，精彩观念应当是学生说自己的话，说别人没有说过的话，想别人没有想过的、不敢想的问题，也许是“异想天开”，甚至是“胡思乱想”，但其中包孕着创新的见解，一旦条件成熟，就会长出绿芽、开花、结果，其中就可能有“第四只苹果”。

但是，精彩观念的诞生需要条件，达克沃斯说最重要的条件是机会，即要给学生大胆思维和表达的机会。机会处处都存在，关键是教师有没有给，有没有给学生创造条件，以道德的方式、鼓励的方式、欣赏的方式、建议的方式来启发学生。这诸多的方式说到底是教师的教学行为，是发自教师内心的，是在先进教育理念的土壤里生成的。课程标准中关于个性化的学习，一直坚守的自主、合作、探究的学习方式，正是对教师这一教学行为的导引。

七、教学行为的变革应体现学科的特质

对教学行为的变革既有共同的基本要求，又有不同学科教学的不同要求，亦即教学行为的变革既要坚定地依据教学的实质和核心，又要鲜明地坚守和体现学科的性质、特点和任务。近几年来，大家都在强调教学的“学科味”，依我看，教学行为也应当有“学科味”。

所谓教学行为的“学科味”，是指要以学科的方式进行教学，体现学科的特质，实现学科教学的目标。的确，不同的学科教学方式、方法、手段是有差异的，文科与理科不同，以文化知识学习为主的学科与以技能学习为主的学科也是不同的。这种“不同”自然体现在教学行为上，换个角度看，是关注不同学科的教师有没有根据学科特质来设计和展开自己的教学行为。拿新修订的语文课程标准来说，语文教学要凸显四个关键词：语文特质——学习语言文字运用；语文素养——听说读写以及情感人文等方面的知识、能力等；语文实践——绝非仅仅是训练；汉字教育——从汉字教学走向汉字教育。倘若，语文教师只是在课文内容的理解上兜圈子——写了什么、说明了什么、表现了什么，而不在语文的形式上下功夫——究竟是怎么写的、怎么表达的，教学有什么学科价值，又怎能完成学科教学任务呢？假如，教学行为变革只有教学的共性，而无学科教学的个性，那么可以说，这样的变革意义不大，这样的变革并不彻底。教学行为变革应当基于并体现学科教学的特质。

八、教学行为不仅要教会学生学，而且要提升自己的教，要始终坚持教与学的统一

教学是教与学的统一。教是为了不教，不是否认教，不是排斥教，而是要改变教、提升教。如今的一些课堂教学改革，尽管坚持了改革的方向和理念，但普遍的缺失是：教不见了，高水平的引导不见了，教与学不是融入，只是一种机械式的分割，谈不上教学艺术，谈不上教学个性和风

格。如此的教学行为是不完整的，也是不足取的。

课程标准坚持了教学这一完整的概念。取数学的例子吧。2011年版的数学课程标准指出:“数学活动是师生积极参与、交往互动、共同发展的过程。有效的教学活动是学生学与教师教的统一，学生是学习的主体，教师是学习的组织者、引导者与合作者。”课程标准明确给出了数学教学活动的三个基本要素：师生的积极参与、交往互动、共同发展。教与学是不能分离的，不能分割的，更不能缺失的。我们应当坚持教学概念及其教学过程的完整性，而且要坚持教师的教，一定要“高”于学生的学。这里要关注和研究三个问题。其一，教师的“高”既包括知识，更指理念、能力、方法，以及教师的智慧，只有教师“高”了，才能把学生引向高处，否则永远是平面上的游戏，而没有更深处的开掘，也没有更高处的提升。其二，教师的“高”以什么方式来呈现。“高”不能成为压迫学生的权威，不能以霸权的方式来展开，而是以文化的方式——谦卑的、温和的、吸引人的方式。此时教师的“高”是有隐蔽性和潜伏性的，不显山露水，这样学生才易于接受。其三，教师的“高”要在适当的时候呈现。或是学生迷茫的时候，或是学生发生错误的时候，或是学生在低处徘徊的时候，或是学生若明若暗的时候……教师的“高”出现得恰到好处，学生才会对教师有一种崇拜、追随之感——教师成为学生追随的偶像实在是一件好事。

九、教师有多种显现行为的方式

显现教师的行为主要有语言显现、文字显现、声像显现和动作示范显现四种。其中语言显现主要是教师的讲述，而文字显现主要是教师的板书。

讲述是教师很重要的教学行为。不可小视讲述，更不可抛弃讲述，问题是什么样的讲述是好的讲述，什么样的教师是优秀的讲述者。克里克山克认为好的讲述主要表现在三个方面。一是准备。包括:“适应讲述的一般性目的和特定的学习目标”，“收集和复习将要讲述的信息”，“为实施进行组织或计划”。二是实施。讲述最为重要的是“吸引学生的注意”和

“通过提问、发表看法来调控理解”。三是总结。总结中应当“对重点进行复习和总结”，“将新学习的内容与学生原有的知识联系起来”，“在一个较高的知识水平上应用新知识，以此来检测学生的能力”。

至于板书，当下要特别予以关注，绝不能以屏幕显示代替板书，教师即时的板书能吸引和教育学生，必须把板书作为教师的教学基本功。无论是提纲式板书，还是总分式板书，无论是对比式板书，还是表格式板书，无论是线索性板书，还是图群式板书，都有各自的功能，教师都必须认真研究、掌握和运用。

十、变革教学行为

要在课程标准引领下认真学习有关理论，不断提高教学理论素养，使教学行为的改变、教学变革建立在理论基础上，逐步走向理性，走向自觉。

任何教学行为的背后或深处一定有理念，一定有理论的支撑。真正改变教学行为，必须增厚自己的理论修养，提升自己的理性水平。建议教师关注和学习以下三个方面的理论：认知学派、人本主义学派、行为主义学派。

认知学派试图推测学习时我们头脑中到底发生了什么，它主要研究人们是如何思维的。认知科学引出了两个影响深远的概念——信息加工和意义学习，而意义学习包括接受学习、互动式教学、探究学习、问题解决等。与这四种认知主义的学习方法相对应，教师教学行为也会发生变化。人本主义学派主张让学生更好地感受自己，并且更多地接纳自己，其核心观点是：每个学生都是有价值的，每个学生都能以自己的方式行事。这样的主张和核心观点，必然要求教师的教学行为发生相应的变化。行为主义学派的兴趣在于发现外部环境中的刺激物怎样带来明显的行为反应，以及如何通过调整周边环境来改变个人行为。学生的学习方法不只是有一种，常常是多种方法交替使用，且不同的学习理论对指导学生学习有不同的作用。也正因为此，教师的教学行为要应用不同的理论、不同的方法指导学生学习，其时，他的教学行为也是不一样的。理论，让教学行为走向理性，走向自觉。

CURRICULUM

教师应成为课程改革的主角

课程改革有两条路线：自上而下与自下而上。随着课改的深入，改革的路线正在发生变化，即在自上而下与自下而上互相结合的同时，更鼓励、倡导自下而上地进行。这一路线变化的意义与价值在于，课改越来越走向地方，越来越走向学校，越来越走向教师。同时，赋予了地方更大的改革自主权和空间，让学校真正成为课改的创生地，让学校的课程更具校本的特点，也让教师真正成为课改的研究者、开拓者和创造者。

这一路线的调整，是基于对地方、学校和教师潜能的认识。改革是一片广袤的田野，田野的希望源自它的主人——教师。草根的力量是巨大的，充满着生命创造力，绝不是“沉默的大多数”。事实上，教师们正以自己探索的行动抵抗沉默，抵抗改革的障碍，抵抗所谓的权威。他们在课程改革和教学改革中，做出了十分有益的探索、实验，提出了不同的教学主张，逐步形成了不同的教学模式，创造出许多生动、鲜活的改革经验。改革的实践告诉我们，只要解放学校、解放教师，学校与教师定会释放出不可限量的正能量。自上而下与自下而上的结合是改革正确、合理的路线，而更倡导自下而上的路线，是对学校和教师改革力量及创造性的尊重，是为了更充分地让教师在改革中大显身手，成为改革的主角。这无疑是一种战略的、智慧的选择。

这一路线的调整，也基于对国家、地方、校本课程的深度理解。国家、地方、学校课程包含两种含义：一是指课程形态，即国家课程、地方课程、校本课程，这是为大家所普遍公认的；二是指管理的权限，即实行国家、地方、学校三级管理，以往大家对此是有所忽略的。随着改革的深入，在关注、建设课程形态的同时，更要关注改革的路线调整，鼓励、倡导地方尤其是鼓励学校和教师更多地从学校和当地的实际出发，创造更适合学校、更适合学生发展的课程、教学，因此管理者们要为他们创造、提供更好的改革机会和条件。

循着这一改革路线的重点，我们需要思考的是，教学改革的关键在哪里？我以为关键不在课程本身，不在教学，也不在教材，而在人本身。人是目的，不是手段。苏霍姆林斯基曾经对教科书有个比喻：起跳板。他这么说："至于教科书，对他来说只不过是随时准备弹离的踏板而已。"这里的"他"是指教师，其实对学生而言，教科书以及课程也不过是随时准备弹离的"起跳板"而已。"起跳板"是工具，人才是主角，才是目的。因此，教学改革的目的与关键是让教师去创造更适合学生弹离的"起跳板"，是让学生凭借"起跳板"弹跳得更高、弹离得更远。

这样的理念和路线下，教学改革应当做些什么？我以为应当主要在以下三个方面作出积极努力。

其一，鼓励教师创造性地实施国家课程。这是个老话题，但事实是，至今的进展还很不够。问题出在哪里呢？第一，出在对课程标准的理解上。基于课程标准的教学一定是超越基于教材的教学。基于课程标准的教学视野更开阔，教学内容的增删以及各种方式的调整空间更大，可以整合，可以改造，可以取舍，而基于教科书的教学则显得狭窄，难以"周旋"。所以应当引导教师将视野从教科书向课程标准转移，让教师的创造有更大的回旋空间。第二，出在课程资源上。课程资源较为贫乏，"起跳板"的宽度与弹性不够，教师难以施展引领的本能，学生也难以弹离。课程资源应当是教师开发与创造的，而教师常因为花费时间多，无暇也无心去开发，因此丰富的课程资源只在公开课上出现，日常课则显得贫乏。第三，出在管理制度上，尤其是考试、评价制度的制约，不是为教而考，而是为考而教，这样一来，教师如何能放开手脚去创造呢?

其二，应鼓励教师在实践中探索、形成自己的教学样式，还应鼓励特级教师、名师创造性地开发教学模式和个性化的教材体系。江苏省南京市琅琊路小学的特级教师周益民出了一本书《回到话语之乡》。话语是有诞生之乡的，周益民认为它在民间，在民间故事、神话、民谣、童谣，包括那些对对子、绕口令等之中。他说：民间文学是民族文化之根，饱含着极为丰富的生活经验、民众情感和历史价值，儿童对民间文学的阅读正是一种寻根之旅，寻找母语学习之源。这是他对海德格尔“语言是存在的家”的深度阐释。基于这样的理解，我以为他在教好规定的语文教科书的同时，也是在建构第二套“教学大纲”、第二套语文教材，是在创立自己的语文课程体系。很多教师也用实践告诉我们，在课程的视野里，自下而上的改革，教师是有愿望、有需求的，也是有能力的。我们应坚定地支持和积极地引导。这样，教学改革才会呈现更为丰富多彩、生动活泼的局面。

其三，应鼓励教师在已有教学经验、特色的基础上追求并形成自己的教学风格。风格是教师专业发展的最高境界，也是教学改革的最高境界。如雨果所言，风格是打开未来之门的一把钥匙。遗憾的是，这一命题提出后，并未引起更大范围的关注，也未有更深入的研究和实践。在教学改革越来越走向教师的今天，教学风格应当引起足够的重视。当我们把目光投向广大教师的时候，一定会发现教师的教学风格是客观存在的，只是没有形成自觉，没有进行概括、提炼。这种状况既不利于教师水平的进一步提升，也不利于教学改革的深化，当然更不利于学生情感的丰富、能力的增强、智慧的生长。所谓课堂教学的魅力在很大程度上是教师的教学风格，风格是众多合唱声中领唱者的旋律。我真诚期待有更精彩的领唱者旋律飘荡在课程改革的田野之上，飘进学生的心灵。

CURRICULUM

熟知非真知

课程改革以来，每每看到老师们撰写的论文和专著，总是非常自然地想起黑格尔在《精神现象学》中的那句名言：熟知非真知。熟知与真知是有区别的，熟知的，并非真正知道的。我们不能止于熟知，要从熟知走向真知，而这是一个过程，一个转化的过程，也是一个发展的过程。如果作一演绎的话，当我们把熟知当作熟悉的陌生者的时候，就很可能获取真知了。

事实正是这样。比如，对于文化，我们熟悉吗？当然是比较熟悉的，因为我们每天就沐浴在文化中，但真的很熟悉吗，真知了吗？未必。美国学者爱德华·霍尔有一个比喻：文化好比是一座监狱。这个比喻显得相当诡异，可仔细想一想，又相当深刻：对于监狱，似乎熟悉，又很陌生，更谈不上真知，除非你“进去”过了。文化就是这么个熟悉的陌生者。对于课程文化，我们就是这么一个状况。

又比如，对于儿童。我们曾经是儿童，现在又每天与儿童打交道，应该说还是比较熟悉的。但奇怪的是，我们对儿童有时候熟悉，有时候陌生；对有的儿童熟悉，对另一些儿童却很陌生；表面上熟悉，实际上很陌生——总之，儿童是我们熟悉的陌生者。毋庸置疑，不从熟知走向真知，我们就不可能让儿童真正学习，促使他们健康发展。

其实，保留一点陌生感是很有必要的。因为，陌生感让我们有了新鲜感，新鲜感推动我们去研究，去发现，进而推动创新。话又得说回来，一直处在陌生状况肯定是不行的，“熟知非真知”，应该成为我们课程改革的动力，成为教师专业发展的路径，成为我们追求的高境界。令人高兴的是，不少教师已在这方面做出了榜样，王永明老师就是其中的优秀者。

王永明是吉林东辽县安石镇一位普通的语文老师，典型的“草根”。可他在课改中迸发出可贵的激情，潜心研究，深入实践，专心写作。他曾依托地方资源，开发了地方课程“探究椅子山”，形成了 8 万字的材料；他曾和前行者一起编辑刊物《拓荒者》；他曾自费为孩子创建发表作品的平台《沃土飘香》……尤其是他曾纵览教育春秋，笔笔深情留下了 35 万字的《课改日记》。翻看《课改日记》，我心里猛然一惊：那些情境，那些故事，那些道理，那些学生，那些人，我们如此熟悉，那么亲切，而这一切又都阐释得那么清晰和深入，透着真知、灼见。我心里又一次想起“熟知非真知”这话，而且坚定地认为，熟知是可以成为真知的。

《老师，我能得第一吗？》是其中的一篇日记，写于 2005 年 8 月底。新学期伊始，王永明担任七年级某班的班主任。开学第一天，他宣布了新班级的规章制度，包括奖惩制度，诸如：迟到或早退一次扣 1 分，不交作业一次扣 1 分，打架斗殴一次扣 3 分；总分班级第一名的为三好学生，要进行奖励……话还未说完，一个小男生突然站起来，问：“老师，我能得第一吗？”“哦，当然能第一，只要你的成绩在期末考试中是班级第一名……”“老师，我不是那个意思，上小学时，在班上考了第三名，可被评上‘读书之星’，老师表扬了我，还说我也是第一名。”“是的，到中学你也是第一名。”小男生这才满意地坐下来。王永明日记中最后是这么写的：“面向全体学生，是课改提倡的理念，是常挂在嘴边的一句话，可我做到了吗？是啊，每个人都可以是第一，从另一个角度看学生，换一种评价的方式，人人不都可以成为第一吗？学生渴望第一，这是我们知道的，但是只有换了‘另一个角度’‘另一种方式’的时候，我们才算真正知道了这一点。”

王永明在课改实践中，还探索建构了开放式语文。研究、实践开放式语文的教师不少，可什么是真正的开放，什么是真正的开放式语文，懂的人并不多，王永明可算是其中一个。因为他知道语文的开放性在于学生生活边界的打开，在于让偌大的世界走进语文，让语文成为一个广阔的世界；在于让学生的心灵开放、思维开放，其他的诸如目标开放、内容开放、教学开放、资源开放、评价开放等固然重要，假若目标、内容、教学、资源等开放不与学生心灵、思维的开放相结合，不与世界相联系，就算不上深度的开放。可见，真知是多么重要、多么关键。

从熟知到真知，王永明的路径很明晰：对话。对话，敞开心灵，你发现了我，我也发现了你，这是心灵的对话，是思维碰撞中的挑战，是挑战中的批判，是批判中的创新。王永明与实践对话，因为实践出真知。他常领孩子们徜徉于语文的沃土中，从“祇”字的比较查考，探寻中华文化的博大精深；从乡亲的葬礼习俗中，孩子们一路写去，悟出了孝道；从作文批改的革新中，孩子们体味到了互助的快乐，并感受到作文之法。他总结说：“实践成为我和孩子飞翔的羽翼。”这是真知，熟知已走向了真知。

何止是王永明呢？课改中涌现出来的许许多多老师，他们优秀，他们杰出，因为他们从陌生走向熟知，从熟知走向真知，真知让他们深刻，让他们走向崇高。

让课改循着熟知非真知的思路走下去，让我们在熟知非真知的催动下成长。

CURRICULUM

陶行知课程思想与基础教育课程改革

基础教育课程改革，常常使我们想起陶行知和他的教育思想。阅读陶行知文集，常常引发我们对课程改革理论源头的探寻。陶行知，是历史的，却又是现代的；是中国的，又是具有世界意义的；是逝去的，却是永远的。我们需要再读陶行知。在深入进行课程改革的今天，陶行知教育思想宝库中蕴涵的课程思想，可以丰富新一轮课程改革的理论，他的课程思想具有鲜明的民族特色和世界价值。

一、陶行知的课程观

陶行知关于课程的专论极少，所见只一篇，即《小学课程概论·序》。关于课程的论述主要散见在他的文稿和讲话中，如《新教育》《孟禄博士与各省代表讨论教育之大要》《请给育才经济援助——致绍吕等》《育才二周岁前夜》《教学做合一下之教科书》等等。另外，陶行知关于课程一词提及也不多。但是，这并不意味着陶行知没有课程理论。笔者以为，陶行知课程理论最重要的特点是：弥散、渗透，实践、运用。即陶行知的课程理论渗透在他的教育论述中，教育论述在某种程度上是课程论述；渗透在实践中，可亲、可学，因而可敬；简单、通俗、“平易近人”，但简单中蕴涵着丰富，通俗中透着深刻，“平易近人”又引导着人、提升着人。这也启示我们，读陶行知课程理论必须结合实践，课程改革的关键是理论指导下的实践，要注重实践经验的总结、概括和提升。这正是陶行知的伟大之处。

陶行知的教育思想中蕴涵以下课程观。

1. 教育的中心与根本：陶行知的课程地位观

课程与教育相伴而生，但是课程在教育中、在教育改革中应居于何种地位，认识并不清晰。陶行知非常明确地指出：“今日教育界责任之最重要且最紧迫者，莫若利用教育学解决学校课程问题。盖课程为学校教育之中心，假使课程得有圆满解决，则其它问题即可迎刃而解。”由此想到杜威的论述：为学生设计教育即为学生设计生活。陶行知的课程思想拓展了杜威的论述，我们可以这么演绎：为学生设计课程，即为学生设计教育，亦即为学生设计生活。陶行知为强调课程的重要，又从反面论述：“今日教育之效果所以不能满足吾人之希望者，实以根本错误之故。根本错误之尤甚者，为小学校之课程。”陶行知把教育弊端的原因归结于课程这一个“尤甚者”的错误。一个“中心”，一个“根本”，揭示了课程在教育中的地位，言简意赅，一语中的。

2. 打破教育间的阻隔：陶行知的大课程观

陶行知一直关注整个教育的改革与发展，无论是开展平民教育还是乡村教育运动，无论是推行国难教育还是战时教育，也无论是提倡全面教育还是民主教育，他总是把教育与民族的进步、国家的强大、民众的幸福紧紧联系在一起。他的大教育观，表现在三个“打破”：打破学校与社会的阻隔，提倡生活即教育，社会即学校，使学校向社会开放，构建大的教育系统；打破个体教育时限的阻隔，提倡终身教育；打破知识教育与实践教育间的阻隔，提倡教学做合一。这三个“打破”又聚焦在全面教育、促进人的全面发展上。陶行知把课程定位于教育的中心与根本，不难理解，课程的建设也应置于大教育的背景之下：课程应与自然、与社会相联结，面向人的终身发展，把实践纳入课程的范畴。笔者以为：陶行知的教育观在某种程度上就是他的课程观。因此，陶行知的课程观已超越了课程本身，具有更为广阔的视野，具有改革的战略意义。

3. 社会与个性：陶行知课程的目的观

课程的建构与发展究竟以什么为核心？理论支柱究竟是什么？陶行知有非常明确的主张。他说：新课程，这要从社会和个性两方面讲。从社会这面来讲，要看这课程是否合乎世界潮流，是否合乎共和精神。从个性一面来讲，我们不可以为了一个人，去牺牲九十九个人；也不可以为了九十九个人，去牺牲那一个人。显然，社会需要与学生个性发展需要，为陶行知课程观的两大目的，进而他又把二者整合在一起。他说：编制课程的人，必须明了社会的种种需要，将它们分析透彻，设为目标，再依据儿童个人心理之时期，能力之高下，分别编成最能活用之课程，使社会需要不致偏废，儿童能力不致虚耗。正因为这种互相渗透、互相促进的关系，陶行知认为："课程为社会需要与个人能力调剂之工具。"

实践充分体现了他的这种核心理念，陶行知时刻关注着社会的发展，关注着社会发展中的人的发展。

4. 真、活、新：陶行知的课程发展观

陶行知致力于教育的发展，在此前提下，对课程的发展有着鲜明执著的追求。首先，陶行知追求真教育、真课程。陶行知说："千教万教教人求真，千学万学学做真人。"什么是真教育？真教育是"心心相印的教育"，是"唯独从心里发出"的教育，而相对应的是假学校、假课程、假书本，培养的是假人。为此，教育是"要让真理赤裸裸的出来和小孩见面，不要戴面具。真理就是太阳，歪曲的理论是乌云，教师要吹散乌云"。其次，追求活教育、活课程。"活的教育，就是要与时俱进。我们讲活的教育，就是要随时随地的拿些活的东西去教那活的学生，养成活的人才。"活的教育要"朝着最新最活的方面去做"。活的教育需要活的课程。再次，追求好教育、好课程。"教人变好的是好教育。不教人变，教人不变的不是教育。"同时，这种好教育应是现代的，"要拿现代文明的钥匙，开发现代文明宝库"；是民主的，要"教人做主人，做自己的主人，做国家的主人，做世界的主人"；"在立足点要平等，于出头处见自由"。好的教育当然要通过好的课程去落实，教人变好的、培养民主精神和现代意识的课程才是好课程。

5. 普修与特修：陶行知的课程结构观

陶行知强调："课程要有系统，但也要有弹性"，应"有适度不同情况的若干课程"。在高校，他采用"选科制"："一、学生所习课程，一部分为必修，一部分为任选；二、一科之学生可以选择他科之学程。"在中学，他则主张普修与特修相结合。育才学校的课程，他主张"除照部规定之普通课程外，复本因材施教之旨，分别授予特修课程，以培养其特殊才能"。开始，"普修课与特修课之时间各占二分之一"，后经研究，"普修课约占三分之二，特修课占三分之一，并给各组以伸缩机会，再依各组进程需要逐年酌量增加特修之时间"。值得注意的是，在育才学校，按文化程度编班，特修课从社会和科学两大领域去设计，尤重艺术课程，同时礼聘著名学者任教，特修课很有规格和品位。普修与特修相结合的课程结构的目的是"敷成多轨，即普及与提高并重"。

6. 社会、自然、生活：陶行知的课程资源观

陶行知遵循他"生活即教育""社会即学校"的主张，对课程资源认识的视野极为广阔，社会、自然、生活是他课程资源观的三个关键词。他说："我们的实际生活，就是我们全部的课程；我们的课程，就是我们的实际生活。""全部的课程包括了全部的生活：一切课程都是生活，一切生活都是课程。""家庭、店铺、茶馆、轮船码头，都是课堂。""您必须以大自然为您的生物园"，"他头上顶着青天，脚下踏着大地，东南西北是他的围墙，大千世界是他的课堂，万物变化是他的教科书，太阳月亮照耀他工作，一切人，老的、壮的、少的、幼的、男的、女的都是他的先生，也是他的学生"。陶行知课程视野中的课程资源观一是丰富的，二是多元的，三是在生活中生成的，具有"田野"的意义。

7. 书是工具：陶行知的教材观

陶行知对教材的论述较多，在很大程度上，陶行知的课程观体现在

他的教材观上。他强调“书是一种工具”“书本是个重要的工具”。工具的作用表现在哪里呢？表现在“引导”上。接着他提出了评价教科书的三条标准——“看它有没有引导人动作的力量”“看它有没有引导人思想的力量”“看它有没有引导人产生新价值的力量”，分别从引导人实践、思考、创造三个方面提出了要求。他认为好的教科书应该是：“过什么生活用什么书，做什么事用什么书；要活的书，不要死的书；要真的书，不要假的书；要动的书，不要静的书；要用的书，不要读的书。”强调教材是工具，就是强调实践、应用和创造。为了体现自己的教材观，他亲自编写教材。可以说，陶行知的教材观至今都有一定的借鉴意义。

8. 教学做合一：陶行知的教学观

教学做是陶行知教育的核心理念，这一核心理念贯穿课程、教材、教法改革的始终，尤其体现在教学上。他坚定地认为：“教学做合一是生活法，也是教育法。”因此，“教与学都要以做为中心”，“都要以做为基础”，“以‘事’为我们活动的中心”，并强调“不做无学；不做无教”。教学做合一，基于他对中国教育的弊端的分析：“中国教育的一个普通的误解，便是以为，用嘴讲便是教，用耳听便是学，用手干便是做。”中国教育的第二个普通的误解，便是一提到教育就联想到笔杆和书本，以为教学便是读书、写字，除了读书、写字之外便不是教育。他还提出了探讨真理的五条路：“（一）体验；（二）看书；（三）求师；（四）访友；（五）思考。”陶行知在教学观上有许多真知灼见，是他课程观和教育思想中的宝贵资源。

二、陶行知课程思想对基础教育课程改革的启示

发端于20世纪90年代末的我国新一轮基础教育课程改革，非常敏感地考察、梳理了西方国家基础教育课程改革的理念、框架、对策及走向，从中吸纳了一些有益的东西，这是我们的一大进步。但与此同时，我们绝不能忽视和丢弃我国的优秀教育传统，不能忘掉陶行知。《课程纲要》中一些理念与陶行知的教育思想、教育理论（包括他的课程思想和课程理

论）有某种相通之处。可以说，陶行知的教育思想和课程思想对基础教育课程改革有重要启示，在课程改革中我们也发展着陶行知的教育思想。

陶行知教育思想和课程思想对课程改革的启示主要体现在以下三个方面。

1. 陶行知的儿童观（学生观）

新一轮课程改革的关键是转变理念，最高境界是理念的提升。新课程的核心理念是：一切为了学生的发展。这实质上是一个确立正确儿童观的问题。儿童观直白地说就是如何看待儿童和对待儿童，即如何认识儿童、发现儿童和如何教育儿童。而陶行知的儿童观有着极其丰富的内涵。陶行知的儿童观在以下方面启发并支撑着课程改革。

（1）如何认识儿童。陶行知说："儿童和青年，在我们的世界里是最大的，比什么伟人还要大。""人人都说小孩小，谁知人小心不小，你若小看小孩子，便比小孩子还要小！"小孩之大，在于他们是民族的未来，在于他们心灵的丰富，在于他们创造潜能的无限。为此，我们要尊重学生，信任学生，要像陶行知那样，把学生也当作自己的老师。同时，又不能只看到儿童"大"的一面，而忽视其不成熟的一面。陶行知说："儿童不但有错误，而且常常有着许多错误。因此教育者的任务，正是要根据事实，肯定他们的错误，从而改正他们的错误。"在教育实践中，我们常常走过头，尊重、宽容了学生，又不知不觉一味地表扬，而放弃了引导和严格要求。陶行知的提醒是必要的。

（2）儿童教育要回归和追求"简单"。改革不是把事情搞复杂，同样，课改也不是让课程越复杂越好。其实，和高明的科学一样，高明的教育也应追求简单。陶行知提出一个著名的论点："儿童社会要充满简单之美。"简单，不是肤浅，也不是简单化，而是针对儿童的认知特点，采用易为他们所理解和接受的方式，把教育内容呈现给他们，其前提是准确地认识和把握儿童的学习规律和发展规律。新课程就是要求体现简单、朴实的教育理念。其实，简单的也是丰富的，朴实的也是深刻的。

（3）教师要向小孩学习。陶行知说："不愿向小孩子学习的人，不配做小孩的先生。”进而他提出，教师应该变成小孩子，“你若变成小孩子，便有惊人的奇迹出现：师生立刻成为朋友，学校立刻成为乐园，你立刻觉得和小孩一般儿大，一块儿玩，一处儿做工，谁也不觉得你是先生，你便成了真正的先生。”新课程提倡师生的互动和对话，在互动与对话中，教师可能成了学生，学生可能成了教师，这种角色的互换，实质是后喻文化在师生关系和课改中的体现。

（4）新课程既要规范学生，又要解放学生。其间的“度”是很难把握的。关键是什么？陶行知指出：“要从成人的残酷里把儿童解放出来。”接着他提出了儿童六大解放的观点：解放他们的头脑、双手、眼睛、嘴、空间和时间。陶行知实际上是在提醒我们，当前的课程和教改，首先是解放学生，即使规范也应在解放的思想指导下规范学生。解放学生与规范学生相结合的教育是最好的教育。

（5）儿童的发展必须有操作的东西。陶行知提出四种：玩具、学具、用具、工具。新课程就是强调让学生自己操作、主动实践，在“玩”与“动”的过程中探究、体验、感悟。当前，我们提供和引导学生自己去设计、制作这四种东西仍然很不够。

2. 陶行知的生活教育观

课程回归生活，生活回归课程，是此次课改的一个重要理念，也是世界各国基础教育课程改革的基本走向。这一重要理念借鉴了陶行知的生活教育观，从他生活教育的思想宝库中汲取了非常丰富的营养。

（1）用生活来教育。陶行知深信生活是教育的指南针，是教育的中心。这就是说，生活与知识、生活与教育，生活是第一性的，生活是教育的主语（鲁洁语），“教育要通过生活才能发出力量，而成为真正的教育”。用生活来教育，其一，生活是教育的大课堂。课程改革就是要引领学生走进大自然和火热的社会，在实践中学习。其二，生活提供了丰富的教育资源。以往我们把课程、教材当作世界，现在要把世界当作课程、教材。其三，生活中的人们应该是我们的老师，向生活学习，包含着向生活中的人们学习。

（2）为生活向前向上的需要而教育。这是说教育的目的。教育是为了生活，为了改善生活，提高生活质量。正如陶行知所说："生活教育是运用生活的力量来改造生活，它要运用有目的有计划地生活来改造无目的无计划地生活。"课程改革除了在"事实"层面上走进生活外，更要在"意义"层面上联系生活。为了改造生活，必须有工具。陶行知说："空谈生活教育是没有用的。"应怎么办？要发现、制造和运用生活工具。

（3）与生活相联系，是为了摆脱书本的束缚。陶行知认为："实际生活向我们供给无穷的问题，要求不断解决。""'生活即教育'，是叫教育从书本的到人生的，从狭隘的到广阔的，从字面的到手脑相长的，从耳目的到身心全顾的。"课改实践已充分证明，只要走进生活，教育就将变枯竭为鲜活，变苍白为丰富，变无力为充满活力和魅力。

不过，教育与生活是有区别的，教育即生活，是把教育当作生活来对待；但是陶行知把它翻个"筋斗"，变成"生活即教育"，势必混淆了二者的区别，淡化了教育的特殊功能。我认为，这个筋斗翻过了头，是不妥的。

3. 陶行知的创造教育观

课改的重点是培养学生的创新精神和实践能力。长期以来，在知识基础与创新能力之间主要存在三种误区，一是把二者的关系简单地线性地联系起来，必须先打基础，然后才能创新。二是因为基础好，"我们赢在起点"，殊不知，只重基础，忽视创新精神培养，一开始就已"输"在起点了。三是"基础"未能与时俱进，实际上"基础"的内涵已发生变化。我们既不能丢弃基础，也不能对基础抱残守缺。

陶行知早就鲜明地提出创造教育。

（1）为什么要创造？陶行知说："我们要能够做，做的最高境界就是创造。""教育上最重要的事是给学生一种改造环境的能力。""教师的成功是创造出值得自己崇拜的人。"他又说："检讨过去，把握现在，创造将来。一切为了创造。"这是一种呐喊。在新课程中我们分明听到了陶行知的呐喊声。

（2）创造教育的理念是什么？“处处是创造之地，天天是创造之时，人人是创造之人。”这种理念基于对学生创造潜能的了解和信任，因而打破了创造教育的神秘感。课改所提倡的创新精神正是面向全体学生和所有教师的。

（3）创造的特征是什么？陶行知从两个方面去说明。一是“敢探未发明的新理”“敢入未开化的边疆”。强调的是“敢”“探索”与“开辟”的精神。二是强调创造是“新价值的产生”。新价值对不同的学生、不同的学科有不同的含义，因而，所有人都能去创造；新价值有别于新的科技发明、新的产品的诞生，因而创造教育的目的更多的是在精神层面上，而不是在物质形态上。

（4）创造从哪里做起？陶行知认为，“行动是中国教育的开始，创造是中国教育的完成”。创造的源头在行动，实践是创造的土壤。由此来审视综合实践活动，不难掂量出“综合”与“实践”的创造分量来。

（5）创造教育的机制是什么？重要的机制在精神上是对儿童的“六大解放”，因而有了《创造宣言》；在制度上是对创造进行奖励。

（6）创造教育的目的是什么？“教育者不是造神，不是造石像，不是造爱人。他们所要创造的是真善美的活人。”可见，创造教育最终还是为了人的发展。

陶行知的教育思想和课程思想对基础教育课程改革的启示是多方面的。我们高兴地看到，课程改革的思路和理念与陶行知的教育思想有一定程度的契合。让陶行知的课程思想在新课程改革中焕发出新的生机和活力！

CURRICULUM

课程改革要唤醒学生的美丽心灵

习近平总书记在文艺工作座谈会上强调“中华美学精神”这个命题，他还对传承包括中华美学精神在内的中华文化的方法论作了概括，特别强调传承中华文化不是简单地复古，也不是盲目地排他，而是古为今用、辩证取舍、推陈出新。

弘扬中华美学精神不仅是艺术工作的重要指针，也是教育工作的重要指针，教育工作同样应该认真研究中华美学精神，彰显中华美学精神，让中华美学精神照耀我们的课程改革。这样，课程改革的立意将有新的提升，日臻新的境界。

从课程改革的根本任务看，立德树人是课程改革的出发点和制高点。立德树人这一根本任务要我们培育、践行社会主义核心价值观，传承、弘扬中华优秀传统文化的精髓。同时，中华美学精神照耀下的立德树人极具审美意义和深厚的文化含量。从课程、教育的本质看，无论是内容还是形式，无论是目标还是境界，课程、教材与教学本身，都富含美学意蕴，凝聚着中华美学的民族内涵，这应视作课程、教材、教学的特性。丰富的实践一次又一次地证明，课程改革、教育改革的过程是一个唤醒学生美丽心灵的过程，是培育学生美学精神（包括中华美学精神）的过程。只有这样，课程深改才具有中国风格，教育才拥有中国风骨。从教育的对象看，儿童原本就是美的精灵，他们具有感受美、体验美、创造美的潜能。在中华美学精神的指引下，学生美的天性才会得到尊重、保护，美的潜能才会得到开发。当美的精灵与中华美学精神相遇的时候，学生的心灵深处才会孕育起中华文化的基因，塑造美丽的中国魂。

用中华美学精神照耀课程改革，其基本要义是用中华美学精神与美的尺度来观照和引领课程改革，其核心是培育学生具有创造美的心灵，其内涵有：审美境界的追求、中华美学精神在课程教材教学中的融入和开发、中国传统审美价值的思维和表达方式的培养以及美学形式的构建，最终指向学生当下和今后的人生。

其一，审美境界的追求。审美境界主要培养教师和学生的民族风骨，尤其是培育教师和学生的崇高感。人要有崇高感，崇高感要从小学开始培植。席勒在《审美教育书简》里论述道德与崇高的关系："使审美倾向达到道德的精神领域"，"具备了道德修养的人，并且唯有这样的人，才会有完全意义上的自由"。我认为，在消费时代或者虚拟化的世界里，崇高感的培植恰恰是我们的崇高使命。

其二，中华美学精神在课程教材教学中的融入与开发。有学者认为，"中华美学精神讲求道法自然，和而不同，它的高明之处在于将入世与出世统一起来"，具有"强调天人合一"等精神特点，这些都应充分体现、落实在课程内容和实施过程中，更多应是融入，而不只是渗透；更多应是开发，而不是从外部加入或者生硬补充。

其三，中国传统审美价值的思维和表达方式的培养。中国传统审美价值视野下的思维有其自己的特点，那就是着重"从应然向实然"。思维方式一定会影响表达方式。中国传统在表达或表现时特别注重在艺术形式中贯彻自己的理念。这种思维和表达方式让我们有理想的引领、愿景的追求。同时，中小学教学又注重感性的表达方式，注重激情。

其四，美学形式的建构。中华美学精神有着关于美学形式上的内在规定性，美学形式是美学精神的载体，儿童学习十分喜欢美的形式。叶嘉莹曾给加拿大华裔孩子讲解古诗词，孩子们立刻就对诗有了最本真的认识。

用中华美学精神照耀课程改革，对教师提出了更高的要求。要培养学生的中华美学精神，教师首先要具有中华美学精神。教师应当有真挚的情怀，热爱我们自己的文化，对中华美学精神有深切的情感和向往。教师应当有崇高的境界，仰望文化星空，怀揣美好的理想，让自己精神“再圣化”。教师应当有美学修养，尤其是中华美学精神的修养，兼具实践智慧，探寻与创造美的表达方式。

CURRICULUM

让儿童在课程里站立起来

参加过一所学校课程建设研讨会，会议的主题是：让儿童在课程中站立起来。大家都说，主题好，内含相当丰富，立意很高远，让人有诸多想象。当然也有人说，不太好理解，很玄，虚了。我对这一主题很赞同，这是一种课程核心理念，是课程建设的一种主张。提出这一主题是课程改革以来，校长和老师们的一大进步。

这一命题，隐含着另一个问题：以往我们没有让儿童在课程里站立起来。事实是不可以不承认的。把设计好的课程交给学生，让学生被动地接受，课程与学生无多少关系，在久而久之的被动接受中，学生可能是趴着的，也很有可能是跪着的。在课程的学习过程中，学生不敢提出问题，不敢质疑，不敢批判，在知识的大殿前顶礼膜拜，诚惶诚恐，这肯定不是站着的，而是作揖式的，甚至是跪着的。在课堂里，同学之间缺少交流，缺失对话，学会合作、学会共处只是一句口号而已，有的只是好学生、差生之分，面临的是分数榜、排名榜，在这样的生态下，学生肯定是趴着的，而不是站立着的。说到底，不要以为，有了理想课程的设计，学生一定是站立起来的，千万不要以为，当下的课堂里，长着一片蓬勃而上的小松树，儿童怯场了，儿童不敢出席了，怎能说儿童是在课堂里站立的呢？不难理解，让儿童在课程里站立起来，是多么有针对性，又多么有战略意义——未来的儿童必须是站立的，没有站立的儿童，就没有真正的未来。

从问题的批判出发，“让儿童在课程里站立起来”的含义应当是：让儿童成为课程的主体，引导他们参与课程的决策和设计，引导他们成为课程的研究者和创造者；让儿童在老师的帮助下，学会学习，努力学习，深度学习，创造性学习，享受学习；让儿童学会发现问题，敢于提出问题，善于发表自己的见解，有个性，拥有创新精神和实践能力；让儿童与同学之间学会交流，学会讨论，学会合作；让儿童不仅把小小的课程、教材、课堂当作世界，还要把偌大的世界当作课程、教材和课堂……若此，才叫作让儿童在课程里站立起来。往深处讲，只有让儿童在课程里站立起来，才会有真正的课程的站立，而课程的站立才能让儿童真正站立起来。

想到清华附小的窦桂梅。好多年以前，窦桂梅就提出“三个超越”，即基于课堂要超越课堂，用好教材要超越教材，尊重教师要超越教师。当时也有不少议论，认为不合适。现在回过头来看看，超越的状态首先是站立的姿态，没有超越的意识，只是在“基于”、在“用好”、在“尊重”上下功夫，显然是远远不够的。换句话说，“基于”的目的包含着从“基于”起跳、起飞，朝着超越的方向；真正的“用好”，理应包括对用好教材的超越，从用好到创造；所谓的“尊重”，绝不止于听从、服从、执行，而是超越教师。但是，在当今的学校和课堂，我们重视的仍是过多的“基于”、狭隘的“用好”、片面的“尊重”，而“超越”被边缘化了。窦桂梅在提出“三个超越”的时候，她内心肯定有一个强烈的呼唤：让儿童在课程里、在教育中站立起来，然后去超越，走向更远的前方。随着课改的深化，窦桂梅又明确提出，让儿童站在学校的中央。她说的不只是站立，而是要站立在中央。确实，站在中央的儿童才算是真正的站立，才可能理直气壮，甚至是昂首挺胸，气宇轩昂。这样的学生，我常常在清华园里看到，他们还只是小学生，在我眼里却是个走向未来、走向世界的人才。

回到那次研讨会上。在听了校长的介绍，听了教师的故事讲述，尤其是看了孩子们的展示以后，对这一主题代表们都认同，而且给予很高的评价。印象中的那堂语文综合学习课《神秘的莫高窟》，孩子们对莫高窟的神秘，对珍宝的精致，从不同的角度，发表了不少真知灼见，大家都深感佩服。看来，让儿童在课程里站立起来，不只是愿景，不在未来，而在当下，我们可以实现，哪怕它是一所很普通的学校。

CURRICULUM

南京小学的课改气象与新的出发

课改，十多年了。南京的小学经历了，体验了，探究了，并且创造着，发展着。

如果说，课改是教育的一次重要出发，那么，南京的小学现在开始了冲刺，有新的抵达，而抵达是又一次出发；如果说，课改走进了大森林，那么，南京的小学已在罗盘的引导下，走出了大森林，眼前是一片更大的开阔地；如果说，课改的天空下，田野里风吹草低，那么，南京的小学是田野里色彩各异的鲜花，迎接着更美的春天。

请别笑话我的诗意表达，有时诗意才能表达内心真挚的感受。况且，有时诗意中的隐喻及由此而带来的想象，也是有深意的。因而，我毫不犹豫地有了这么一个诗意的开头。

我对南京小学的课改没有作过全面、深入的考察，不过，我很关注，也有不少的参与，或研讨，或观摩，或评点，其间也有很多的思考。经由这许多的参与，我感悟到，自己也与南京的课改一起成长。同时，深切地感受到，南京市小学的课改，其成果的意义和价值首先不在课改本身，而在通过课改所建构的一种文化与精神。这种文化与精神就是高度的使命感、责任感，以及“课改自觉”，表现出你追我赶、不甘落后的精神，因此，形成了百花争艳、各具特色的生动气象。正是这种文化与精神推动着课改向深处发展，推动着学校的文化深度建设，推动着教师的专业发展。这样的气象与成果，原本就是课改的意蕴和目的。这是南京小学课改的最大成功、最亮特色，是值得省内同行学习的，也是值得课改专家所关注和研究的。

一、市区教育局层面上，南京小学课改在战略主题引导下加强了课程领导

南京小学课改始终有一战略主题：坚信不疑、坚定不移地实施素质教育。在素质教育这一战略主题的统领下，南京市教育局及区县教育局确立了课程领导的理念，并以课程领导理念对小学课改作出了整体规划，进一步明确了指导思想和要求，加强统筹安排，以课程改革为素质教育的载体，并以此为深入实施素质教育的突破口。这体现在以下“三个结合”“三个基于”和“一个目标”上。

关于“三个结合”。第一，城乡课改结合。既关注、研究、促进城市小学的课程改革，又十分关注、深入研究、着力促进农村小学的课程改革，因此，南京市小学课改是城乡同步的，整体水平是高的。这样，从课改的角度，即从学校内涵发展的角度推动着义务教育的均衡发展。第二，实验小学与普通小学课改结合。南京的一批老牌的实验小学以及近几年新诞生的实验小学，有显著的优势、扎实的基础，相对来说，一般小学还略显薄弱。新一轮课改，南京市在注重实验小学和一般学校并重、同行的同时，重点研究、推动一般小学的课改，成效是十分明显的。第三，大班化与小班化课改结合。南京市的小班化研究已在全国领先，这与小班化课改的深入不无关系。在南京，大班化课改各具特色，小班化课改已各领风骚。这种风生水起的课改气象，难能可贵。

关于“三个基于”。南京市教育局提出了“三个基于”，我深以为是。第一，基于脑的学习。脑科学研究及其成果的引入，将会使课改以至整个教育改革发生深度变革，促使学生在课改中思维方式发生重大变化——学

会学习，学会思维，学会创造。第二，基于网的学习。技术会改变世界，信息技术也将会改变教育、改变课程。互联网等为学生开辟了新的学习途径和方式，使课程更开放、背景更开阔、内容更丰富、学习更自主。第三，基于小班化的学习。基于小班化的实质就是基于面向全体学生，关注每一个、发展每一个、幸福每一个的小班化教育理念也正迁移到大班化课改中。这代表着一种改革与发展的趋势。

“三个结合”和“三个基于”有一个总的目标：学习力的培养和发展。以学习力的培养和发展为目标，意味着课程改革、教学改革要以学生的学习为核心，意味着以能力提升为核心。所谓学习力，我以为是学习能力、实践能力和创新能力。从以上分析可见，南京市小学课改有崇高的理念、鲜明的核心目标，加强了课程领导，从整体上使素质教育这一战略主题逐步落到了实处。

二、学校层面上，南京小学课改有很高的立意，实行有重点的突破，形成了各自鲜明的校本特色

气象是由所有学校共同形成的，这样的气象才会有气势、有气派。从另一个角度说，共同形成的气象并不排斥各自不同的景象，也正是不同的景象才使气象丰富多彩。南京小学课改呈现的正是这样的景象。

其一，坚持以儿童发展为本，把课程研究与儿童研究融为一体。琅琊路小学始终坚持小主人教育和愉快教育。十分可喜的是近几年，他们把小主人教育与愉快教育结合在一起，统整为“快乐做主人”，并将“快乐做主人”作为学校的教育哲学。在这一教育哲学的引领下，以儿童发展为研究的主题，以“人在中央”为管理核心理念，以“儿童公约”为教育原则，让儿童快乐地学课程、快乐地做课堂的小主人，促使儿童快乐、健康成长。这种鲜明的儿童立场，在海内外产生了很大影响。近来，又以让教师快乐做主人为重点，促进教师专业发展和名师成长，在与台湾教育大学及其附属小学的交流中，让台湾同行重新认识大陆的课改。游府西街小

学本着以儿童发展为本的核心理念，以“儿童成长支持计划”为重点，对课程、对教育作出了新的定义和定位。建邺区实小则以童话世界建构为重点，探索儿童的幸福教育。

其二，既有宏大的国际视野，又努力弘扬民族文化传统，构建本土范式。当下，任何学校都不可能独善其身，达才能兼济天下。课改要坚守文化传统，又要面向世界；在瞭望世界、向世界各国学习的同时，又必须坚定地弘扬中华民族文化传统。二者结合，课改才更具世界意义和民族特点，才更具现实意义和时代色彩。夫子庙小学一直致力于孔子文化、孔子教育思想的传承和研究，以《论语》为重点构建了校本课程“星星论语”，而且以此构建了教学系统和活动系统。但是，他们不封闭，相反，以更加开放的心态和更文化的方式，学习、吸收国际教改的经验与课改的理念，引导学生尊重文化的多样性，吸纳先进文化，课程中渗透了世界的文化元素，构建了以孔子教育思想为核心的教育范式与课程模式。夫子庙小学正是以此走向了全国，走向了海外，走向了世界。砺志小学则从民族文化的武术元素开始走向具有民族精神的砺志教育，振兴了这所普通小学。

其三，深度开发校本资源，发展具有鲜明特色的课程理念和模式。南师大附小继承并发扬教育家斯霞童心母爱的教育精神和教育主张，实施“爱的教育”，构建以“爱”为核心为主体的课程，形成了底色、本色、亮色的课程结构，从儿童需要出发，建构了具有丰富性、选择性、实践性的校本课程，把爱落实在课程开发与实施中，并且又以“为学而教”为核心理念，课堂教学发生了根本性变革，呈现出十分可喜的景象。大家都说，在南师大附小爱不是孤独的，爱不是一句空话。儿童版画是石鼓路小学的宝贵资源。石鼓路小学一直坚持儿童版画教学的特色，并不断发展和深化，从儿童版画教学到儿童版画教育，从儿童版画教育到儿童立美教育，从儿童立美教育到立美修德，从立美修德到回归儿童世界的立美教育，课程、教学发生了一系列变化，石鼓路小学正在走向教学的审美、立美的境界。

其四，以学会学习、培养学生的研究习惯和创新精神为重点改革课堂教学。学生学会学习是世界各国教学改革的共同走向，培养学生的创新精神也是世界各国教学改革的共同追求。力学小学秉承创办人邵力子、傅学文的意志，一直致力于“力学”的践行，学会学习、努力学习、创造性学习、享受学习成了力学小学直抵核心的根本性改革。学校大胆提出构建“研究性课堂”的主张，形成了研究性课堂的原则和框架，撰写了“研究性课堂实践论”方面的专著，以探究为切入口培养学生的创新精神，并以此形成了全国小学研究课堂联盟。进入“十二五”又深入到以学科特质为重点的研究性课堂研究。三牌楼小学以“求索”精神的培植为核心，以思维高峰为重点，构建求索课堂，培养学生的创造性思维，改变思维方式，并设立了“钱学森班”和“儿童科学思维研究院”，走出了一片新天地。建邺区新城小学的“让学”研究也已起步，并有了一些成果。

其五，超越知识，追求智慧，让学生在对话中更聪明。知识就是力量，但唯有智慧才使人自由，课堂教学不在追求知识，而在于把知识转化为智慧。拉萨路小学信奉智慧教育，让孩子“更健康、更快乐、更勤奋、更聪明”的理念已深入人心，且成为拉小人的信念。他们一直以“大家一起学”为目标，以构建“智慧课堂”为重点，改革课堂教学，走过一个个研究“驿站”，爬过一个个改革“山坡”，研究儿童的学习心理，探索智慧的生成，以“百步坡”的精神，让课堂生动而深刻，让儿童主动而智慧起来。银城小学确立对话教学哲学，以对话精神和对话的艺术方式，让意义、智慧之水在课堂里流淌。对话与智慧教育汇合，课堂里呈现出另一番景象。

其六，以课改为背景，在课程框架中形成学科优势，进而形成优势的学科。小学教育要促进学生的全面发展，因而课程的整体性、均衡性是重要的特征，但并不因此就抑制学科的进一步发展和学科特色的形成，相反要提倡、鼓励学科教学发扬个性。北京东路小学着力于教师水平的整体提升，培养名师，在全国产生重大影响。在情智教育的主张的指引下，北京东路小学的语文学科改革走在前面，尤其是在人字形的课程结构中，从学生终身发展出发，提出了“12 岁以前的语文”，引起了广泛关注，其三块基石为学生终身语文素养的提升起了重要支撑作用。与此同时，“文化数学”的研究，亦产生很大影响。这些优势学科促进了学科教学共同体的形成，带动了一批优秀教师的成长，因而，北京东路小学的发展走势令人关注，令人有更大的期待。

其七，追求本真，回归自然与本色。教学有自己的规定性，课堂的原本意义正是教学改革的真义与真谛，因此，本真课堂成了必然的追求。江宁区百家湖小学一直致力于回归儿童价值取向下的本真课堂研究。所谓本真，既指向真实，不虚空、不浮华、不功利，更指向课堂教学的核心和重点。百家湖小学对教学的基点、支点等展开了研究，回到了教学的本色。长江路小学坚持和谐的教育理念，以和谐为境界和目标，以特级教师王兰为榜样，追求教学的自然、本色和美丽，在规范、精致中追求质量，在和谐中追求风格。长江路小学的嵌入式课程也已展开了新的旅程。

区县的课改同样精彩，我了解不多，只能以市区为主。仅就以上梳理和描述，足见南京市小学课改的气象。

三、义务教育各学科课程标准（2011年版）颁发，南京市小学课程改革，已作好准备，开始新的出发

课改之旅开始了新的出发，其重要标志是2011年版的课程标准的颁行。回首过往，前瞻未来，最想说的是以下几句话。第一句是阿根廷的盲人诗人博尔赫斯说的：从这扇门走到另一扇门就完成了一次宇宙旅行。课改好比是为我们开启了另一扇门，让我们在课程世界里走了一遭，这是一次新的宇宙之旅，我们有了新的体验和感悟。而课改的宇宙之旅没有终点，我们必须继续前行。第二句是美国后现代课程专家多尔说的：未来不是发现的，而是用双脚走出来的。未来的创造，不仅改变了目的地，也改变了我们自身。的确，课改在创造未来，课改也改变了我们自己，只有改变自己，才能改变课程，也才能改变目的地。第三句是诗人余光中说的。这位在南京就读小学的台湾诗人说：“根索水而入土，叶追日而上天。”南

京小学课改的再出发，最重要的准备就是让根入土索水，让叶追日上天，创造根深叶茂的课改春天。对此，我充满信心，充满乐观的期待。为此，提出以下不成熟的建议。

首先，要深入调查、回顾、总结十多年来课改的进展、经验，以及所存在的问题。再出发要建立在已有的基础上，确立新的起跑线，让大家站在新的起点上。事实证明，十多年课改我们有了长足的进展，积累了不少的经验，但是，究竟有哪些经验，并不是十分清晰的，需要潜心研究加以提炼。同时，十多年中还有不足、缺陷，还存在一些问题，也需要实事求是地分析，寻找原因，提出对策。回顾、总结，可以生成新的思路、新的出发点、新的创造点。回顾、总结的工作，不仅市、县（区）要做，学校也应该认真做好。可以这么判断：谁的回顾、总结做得好，谁就会出发得更准、更好。

其次，要确立两种意识，形成两种规划，以先进的理念整体推动课改。一是课程领导意识。之于课程管理，课程领导更重视宏观、战略思考和谋划，也更重视专业和研究，同时倡导自上而下与自下而上管理的结合。因此，课程领导是一种民主的领导方式，是一种大智慧。教育局层面应当对区域的课改形成规划，就课程结构的调整、课程的创造性实施、地方课程的校本课程开发、课程资源建设、课程评价等进行规划和设计，提出要求，作出部署，以区域整体推进，进一步形成区域特色。这是课程领导的一大工程。此外，课程领导不是局长、主任的专利，让教师参与到课程决策中来，也让他们成为课程领导者。二是学校课程规划意识。课改为学校课程建设留下了一定的空间，也提出了要求。所有的课程到了学校，就成了“学校课程”，这些课程如何深度开发，如何整合，如何互动，需要加以规划和统整，学校课程规划要体现校本特点，更具可操作性，还应鼓励教师去创造。

再次，抓住两个重点，采取切实措施，深入研究，以求突破。一是课堂教学改革。课改必须改课，没有课堂教学的根本性变革，课改的理念、目标、要求不可能真正实现。南京市的“三个基于”有了新的思路和要求，应以此为重点，深入推进。此外，还应注重以下方面：当下的课堂仍是以教为主，学生仍是被动地学习，以学生学会学习为主，没有得到真正的落实，课堂教学还没有发生真正的变化。其中有一个问题需要重视，即有一种所谓回归的声音，认为不要否定接受性学习。这固然是对的，但仔细辨析，不难发现，对以学为主以及课改所倡导的合作学习、探究性学习的质疑以至否定还是存在的。这需要警惕，这样的回归，实质是回到课改以前去。二是校本课程开发。概括起来，有两点必须关注、研究、真正解决好。第一是校本课程开发的宗旨，必须定位在发展学生的兴趣、爱好、特长上，而非为形成学校特色，校本课程是发展学生个性的摇篮，而非学校炫耀的装修工程。第二是校本课程一定要具有课程的规定性，具有课程的意义。所谓课程的规定性，是指有课程目标、课程理念、课程内容、课程资源、课程实施、课程评价，以及课时安排、课程保障等，绝不能以校本教材等同于校本课程。

最后，更准确把握“专业”的内涵，促进教师专业水平的发展，以高水平师资实施高质量课程。教师队伍始终是课程改革的主体力量，加强教师队伍建设，使之具有课改的新理念和课程能力是课改成功的关键。当前的问题是，教师的专业只局限在学科专业上，教师的课程背景、知识背景不宽阔，阻碍了教师进一步提升。要把儿童研究、课程研究、教材研究列入教师专业发展中去，发展教师的研究意识和能力，鼓励教师大胆创造，努力追求、形成自己的教学风格。这是一次永恒的工程，希望南京市创造出新的经验。

CURRICULUM

课程：未来领跑者的青春起跑线

南京师大附中是一所以研究、实验推动改革而著称的名校，尤其是课程改革的研究与实验源远流长。一百多年来，积淀了宝贵的经验，形成了一种传统，建构了一种文化。这种历史的积淀，使当下的南京师大附中积蓄了持续改革的能量，站到了时代的新起点上。传统不仅是属于过去的，也是属于现在的和未来的，应该说，继承传统也是一种改革和创新。但是，继承传统必须对传统作出时代的阐释，使传统具有现代意义；更为重要的是，要在继承的同时，从时代的特点和要求出发，有新的突破和发展。抛弃优秀传统不对，只坚守传统而无创新也不对。南京师大附中正是秉持这样的认识，把握继承传统与开拓创新的关系，把高中的课程改革推到了一个新的阶段，为基础教育课程改革提供了具有深度的又鲜活的经验，引发了许多极有价值的思考。

基础教育课程改革有一些共同的基本要求，南京师大附中的可贵之处就在于，在认真执行这些基本要求的同时，以前瞻的目光审视教育和课程的现状，瞭望改革与发展的未来，以更阔大的胸怀与智慧描绘课程改革的愿景，以更切实的行动有目的有计划地加以研究，加强建设，体现了不断自我超越的精神，逐步进入追求卓越的境界，彰显着要义，形成了一些鲜明的特色。

其一，主动应答，积极探索，形成了“课改自觉”的品质。对于课程改革，南京师大附中绝不是被动地应对，更不是消极地应付，而是怀有一种改革的使命感和责任感。同时具有改革的敏锐性和洞察力，把课改当作学校自身发展的内在要求，以课改激发、生长学校自身发展的内在力量，把课改当作学校持续发展的机遇，进而当作学校深度发展、卓越发展的战略。这是一种智慧的抉择。没有对改革创新这一时代精神的理解与把握，没有对学校发展的战略思考和理想的追求，就不会有这样的抉择和行动。这样的抉择是充满激情的，又是十分理性的，这样的行动是主动的，包孕着坚定的信念和丰富的内涵。“课改自觉”，抑或“课程自觉”，使南京师大附中的课程改革始终成为一种主动的价值认定和目标追求，成为一种改革的品质和习惯。其实，这种“自觉”的建立，会遭遇到应试教育的无休止纠缠和顽强抵抗，也会遭遇到自身囿于传统习惯的惰性的干扰和惯性的阻碍。对此，南京师大附中的回答是：“高质量地实施素质教育”，“仰望星空，明确自己的使命”。在校长看来，“嚼得草根，做得大事”，所谓做得大事，首先是坚定实施素质教育这一大事，积极进行课程改革；所谓嚼得草根，关键是克服人性的弱点，挑战惰性，超越自己。这种基于教育使命与文化自觉的“课改自觉”，让南京师大附中始终生长着改革的热情和发展的力量。

其二，坚守理念，坚守目标，把握课改之魂。南京师大附中的课程改革始终以先进的理念来引领，以鲜明的目标来推动。十分可贵的是，在南京师大附中，理念和目标不是“普通化”的，而是校本化、个性化的。在“嚼得草根，做得大事”的引领下，南京师大附中把“促进每一位学生卓越发展，使学生养成在未来全球化社会成功的素质，让优秀者更优秀，让平常者不平常”作为办学的理念。所谓“每一位”，用校长的话来说，“就是我们的教育不是为了‘捧出盆景，制造光环’，而是面向所有的学生”。所谓“卓越”，“不是一般的惯性移动，而是特别优秀的自主发展”。这一理念中的“卓越”聚焦在培养目标上就是“致力于培养未来社会的领跑者”。所谓“领跑者”，就是要“以天下为己任”，就是“将自己创造的生命价值奉献于社会”，“创造‘大我’”。如此，“以天下为己任”“每一位”“卓越发展”“领跑者”构成了南京师大附中的理念和目标链。这样的理念与目标具有南京师大附中特有的历史文化印记，具有南京师大附中特有的价值追求所彰显的文化意义，同时又具有全球化背景和视野下的特有时代文化特征。因此，这样的理念、目标，是时代精神召唤下的校本化，是“这一所”而非“那一所”，更非“这一批”，这实质上是南京师大附中办学、教育的核心价值观。这一核心价值观必然通过课程来落实，课程也必定体现这一核心价值观。这样，南京师大附中的课改有了“魂”，有了方向，有了目标，有了校长所强调的课程的“顶层设计”和“高标准规划”，有了真正的学校课程，亦即课程的校本化，当然，也就有了南京师大附中的课程特色。

其三，系统思考，整体建构，形成南京师大附中的课程体系与结构。教育要培养未来社会的领跑者，领跑者又由谁来领跑呢？南京师大附中非常明确，由课程来领跑。“课程：领跑者”是个隐喻，既生动形象，又极富哲理。确实，课程担负着培养未来者的重任，没有课程的基础性和综合性，何来学生基本素质的全面发展？没有课程的选择性，何来学生的个性发展？没有课程的开放性，学生怎能成为对多元文化尊重、吸纳，具有全球胸怀的世界公民？南京师大附中把国家对高中课程的要求具体落实到课程结构上，促进了课程结构的优化，体现了课程的校本化，逐步形成了南京师大附中自己的课程体系。也许，这一要求对所有高中来说显得过高，但是，就学校未来的发展趋势而言，这一要求是应该的。南京师大附中比大家先走了一步，而且这一步走得好。这里，不想对南京师大附中的课程结构、课程体系的本身作一梳理，只想对这一课程结构、课程体系的特点进行点击。其显著特点在于：南京师大附中的课程，除了开设国家在《普通高中课程方案（实验）》中所规定的课程以外，还开设了国际课程。这样，“两轨”课程相互促进，既加强了课程的基础性和民族性，又加大了课程的开放性和世界性。全球化背景下的课程改革，在南京师大附中不只是一个口号，而是通过实实在在的课程结构去体现和落实。此外，加大了课程的选择性。在南京师大附中，课程的选择不只是开设选修课程，还把学生的社团活动、综合实践活动都当作选修课程来对待，让学生在自主的选择中，有丰富的、深度的体验。没有选择，就没有个性的充分发展，这一理念和要求在南京师大附中同样进入了课程结构，因此，是得到充分落实的。至于必修课的免修，南京师大附中不仅坚持了，而且在理念上有了提升，那就是免修不是不修，而是为了学生更自主地修、更有追求地修。学校给学生的不是一个游泳池，而是一个巨大的海洋。南京师大附中的课改经验启发我们，系统思考、整体建构学校课程是校长的重要任务，也是学校课程建设成功的关键。

其四，用课程为学生的发展铺设起跑线，建设以青春为主题的课程文化和校园文化。领跑者应当找到自己的起跑线。起跑线是领跑者出发的地方，起跑线在哪里，起跑线如何划定，领跑者在起跑处该做些什么准备，都应在学校的思考与设计之中。南京师大附中用课程来领跑，首先把课程当作为学生铺设的起跑线，为学生准备的起跳板。在起跑线上，我们看到的是一个个充满活力富有个性的青少年，洋溢着美丽的少年精神和青春文化。南京师大附中课程孕育的少年精神、青春文化的主旋律是：飞得更高的理想、成为你自己的个性，以及创造性的人格。每一届毕业生都会自己编辑一本毕业纪念册，纪念册的第一页写的是“我们是附中的3/106”，第二、三页，在学校发展的历程坐标中，最后的三个年格注明的正是他们在附中的三年。三年，在他们看来，不仅是个时间概念，而是精神生活的见证。看了，你会震撼，不仅是一种学校荣誉感，更重要的是他们的少年志向、青春追求融入到时间的长河中，他们不会虚掷青春年华，不会飘浮半空，而是为学校、为民族、为国家、为这个世界将留下一些什么。翻阅材料，撞击你心灵的是“理想树”，是“成功宣言”，是“沉潜十年、承载一生”的班训，是“翔哥”的青春称谓，是青春的组合、青春的刊物，是青春的心声，总之，是青春无悔。这条青春的起跑线的深刻意蕴是：“给你一部历史，让你翻阅；给你一种文化，让你感受；给你一些时间，让你安排；给你一个舞台，让你表演；给你一些机会，让你创造；给你一个期待，让你自我成长。”这种从青春起跑线开始的领跑者，追寻的以至成就的是英雄情怀。该校校长说：“英雄应该是一种品质，它与性别无关，它与身材无关，它与出身无关，它与财势无关，它与比赛无关，它与‘知名’无关……；但是，它与人生意义选择有关，它与品德有关，它与勇往直前有关，它与超越自我有关，它与创造价值有关。”因此，英雄的内涵是：责任、勇敢、创造。课程建设是文化建构，南京师大附中构建的正是这种蕴含着少年英雄精神的青春文化。

课改的诸多要义与特点都是人创造的，其中包括专家的引领，南京师大附中的课改实践告诉我们：真正的专家在课改的实践土壤里生长。南京师大附中就有一批课改专家，他们把课程开发当作创造，把课程实施当作创造，把课程输入与输出都当作课程的开发。名校、老校要自信，但不能“自恋”；要坚守传统，但不能保守；要有理念，但不能虚空。南京师大附中正是在这些方面为我们作出了探索，提供了价值思考和文化参照坐标。

CURRICULUM

课程改革：转动学校发展轴心

一、课程改革，转动轴心，牵引普通高中的内涵发展

教育现象学告诉我们，讨论、研究问题要回到事物本身，这很重要。我以为，回到事物本身之所以重要，是因为从本身又让我们有了新的发现，因此，回到事物本身实质是一种超越。

锡山高中课程改革荣获国家级教学成果一等奖，是一种现象。对这一现象进行一些深度开发，不难发现，其意义和价值已超越了本身。“江苏锡山高中学校课程体系的整体建构与实践创新”，更为深层的意义和价值在于，要把研究、实践的目标聚焦在学校内涵的发展上，聚焦在教学质量的提升上。在我看来，锡山高中正是用课程改革来牵引学校的内涵发展，即以课程改革为依托，尤其是凭依学校课程体系的整体建构，包括课程制度的建设，努力探索、逐步建构普通高中内涵建设、质量提升的范式。正因为此，这一获奖成果，具有更为普遍的意义和推广价值。而且，锡山高中探索的内涵发展范式，具有中国教育的文化特色和风格，是国际视野与本土行动的结合，这启发我们，中国的基础教育、中国的普通高中教育应该而且可以满揣中华文化走向世界。

库恩在其著作《科学革命的结构》中非常明确地说，“范式”是一场

科学革命，而且“是科学革命所赖以转动的轴心”；“范式一改变，这世界本身也随之改变了”。[①] 锡山高中课改的成功又一次证明了，课程是学校的核心，确立课程、进行课程改革是学校的首要任务。假若，以课改的范式推动内涵发展的范式，又以内涵发展的范式推动教学质量的提升，那就是准确而有力地转动了学校发展的轴心，撬动了学校的整体改革。因而，锡山高中的内涵发展范式，当然会悄悄改变学校，乃至改变整个教育世界。锡山高中课改的深层意义、价值就在这里：牵引内涵发展，探索内涵发展范式。

二、学校内涵发展的核心是育人，学校内涵发展范式实质上是育人模式的探索建构

学校内涵发展之“内涵”相当丰富，但丰富并不意味着处处涉及，包罗万象，那种多视角、多维度地讨论、梳理内涵，固然是需要的，但倘若不能把握核心，就难免造成散乱的活跃，甚或会碎片化。锡山高中的课程改革致力于学校课程体系的整体建构，实施系统性变革，首先是进行价值统摄。他们把改革的目标紧紧“盯”在人的发展上，以“成全人”为核心价值追求，以“健全人格、发展个性”为目标定位，凝练出“生命旺盛、精神高贵、智慧卓越、情感丰满”作为学生发展的核心素养，以此指向课程体系建构。这其实是锡山高中的课程逻辑，这一课程逻辑的背后是学校的教育哲学。正是教育哲学让课程逻辑更成熟、清晰和严谨，正是课程逻辑为教育哲学作了科学的铺垫。逻辑也好，哲学也好，总之离不开一个大写的人，人是逻辑中的逻各斯，是哲学的核心。

锡山高中的价值统摄，值得关注、引起我们思考的还有以下几点。其一，课程改革“盯”着人，是一种批判与建构，也是一种超越与回归。批判的是长期以来越来越公开化的应试教育；建构的是真正把学生当作目

①［美］库恩．科学革命的结构［M］．金吾伦，胡新和，译．北京：北京大学出版社，2003.

的，真正把人当作目的；超越的是知识、“考点”、分数，回到人的发展上来。当学生成为目的时，教育才是真正的教育，教育才是最伟大的。普通高中亟须这一根本性的价值观。其二，学生发展的根本问题是核心素养的发展。核心素养绝对不是一个新概念，佐藤学在他的著作中就指出：“率先使用‘素养’这个术语的，据称，是1883年马萨诸塞州教育委员会发行的教育杂志《新英格兰教育杂志》”，素养“意味着参与社会公共领域的基础——共同教养”。但学生发展核心素养绝对又是一个亟须深入研究、把握的新问题。“生命旺盛、精神高贵、智慧卓越、情感丰满”是学生发展核心素养的校本化概括，尽管还需斟酌，但其综合性、学科超越性的形而上的特点是鲜明的，颇具统领性。其三，这一校本化的表述镌刻着锡山高中浓浓的历史文化印记。学校历史上的十大“训育标准”既古老又年轻，锡山高中实现了培养目标层面上的经典与现代的对接、融合，充满了文化和思想的张力，也实现了传统文化的创造性转化与创新性发展。

学校内涵建设的根本内涵是学生发展的核心素养，这是锡山高中课改成果给我们的重大启示。确实，内涵建设是为了提高教学质量，而教学质量说到底是学生发展的水平，是学生发展核心素养的培育和发展水平。舍此，就不可能有真正的内涵建设，也就不可能有科学的质量可言。再往深处去看，锡山高中的内涵建设、发展，是通过课程模式去建构校本化的育人模式，因而，这才会有真正的内涵发展范式的探索。

三、课程改革的路径选择，为学校内涵发展提供了专业化的技术支撑

锡山高中学校课程体系的建构是科学化、专业化的过程，改革不断走向深入，从表层走向内涵，从技术走向理念，从经验走向理性。与此同时，他们又不忽略技术和路径，相反，在锡山高中，正是技术和路径的不断明晰和完善，为课程改革成功提供了专业化的支撑，否则，课改只可能

是一张理想化的蓝图。同样，学校内涵发展、文化建设，包括特色形成，必须落地，必然对落地的技术、路径提出更高的要求。锡山高中的可贵之处，正在于在这方面提供了十分鲜活、宝贵的经验。大概库恩所说的范式应具有“不可通约性”，内在地包含着技术、路径问题。当然，当技术、路径具有普遍意义时，范式又是可通约的。那么，这样的判断是成立的，锡山高中又为普通高中的内涵发展提供了切实可学的技术样本。

锡山高中课改的技术支撑首先是课程制度的变革。制度是改革的保证，制度也应在改革中逐步创新。锡山高中制度变革的特点，一是形成课程领导制度体系。管理运行制度、学科发展制度、教学组织制度、课程评价制度等等，组成了完整的课程制度体系，让课程在制度框架下运行。体系的特点是它目标的一致性、合理匹配性、统筹协调性等。锡山高中的课改制度保证了课程改革的科学运行，协调了各方力量，在最大公约数的引领下，课改不断攀高。二是课堂教学模式的变革。当下的课堂教学改革呈现了追捧“模式”的热潮，各种教学模式风生水起。细看细想，他们是真正的模式吗？究竟什么是模式，我们搞清楚了吗？我们不反对教学模式，但反对教学模式的随意化、肤浅化以及“模式化”。锡山高中却不然。他们在研究中真正建构了教学模式，那就是基于课程标准的，指向支持深度学习和个性化学习的课堂教学模式。他们的研究之深、之细，不是一般学校所能做到的。正是教学模式的探索建构让锡山高中有效地持续地提高了教学质量。三是校本课程开发的路径。锡山高中老师们说：校本课程是个舶来的概念，为什么开发，究竟怎么开发，我国缺少体系化的专业化的探索，但是在不断的研究、试验中，我们探索了一条成熟的校本课程开发技术路径，形成了具有广泛影响的本土经验和本土范式，也丰富了中国特色的本土课程理论。老师们的话是被学界和同行们认同的。

课程改革是学校内涵发展的主体战略，因而课改的技术支撑，当然也是学校内涵发展的主要技术支撑，它们是路径，是工具，是手段。而其中，充满了专业含量，具有很高的专业价值。

四、课程改革、内涵发展是文化的过程，文化的进步让学校迈向自由境界

恩格斯早就说过，文化上的每一次进步，都让我们向自由迈近一步。无论是课程改革，还是有课程改革所牵引的学校内涵发展，都是文化的过程，一如联合国教科文组织所判断的：应该用文化来定义发展。学校内涵发展说到底是文化的发展，文化的进步才是学校内涵发展的目标与境界。

锡山高中是一所在文化上不断追求不断进步的学校。校长唐江澎是这么评价自己学校的："作为一所有一百多年历史的学校，我们的教育文化从未中断过，百多年来始终坚守教育成全人的价值追求……一方面从百年课程文化中汲取智慧，另一方面借鉴国际课程经验，探索中国化的课程开发路径，构建了追求人生命成长的课程体系。"[①] 唐校长在演绎文化上一个重要规定性：文化的实质是人化，即以文化人，以人为文。在锡山高中，这么多年来的课改历程，他们不仅聚焦于学生，而且聚焦于教师，形成一个核心理念：培育终身学习者。这是他们的文化宣言，是学校内涵发展的价值抉择。渐渐地，这一核心理念就成了锡山高中师生们的文化身份。正是这一文化身份，让他们永远有哲学上的追问：在哪里？去哪里？怎样走？需要什么？当然还有马林诺夫斯基所提出来的：回到哪里去？这一连串的追问，让终身学习者的内涵、要义、发展走向越来越清晰。可以这么认为，培育终身学习者既是学校内涵发展的理念、目标，也是学校内涵发展的题中应有之义，同时还是学校内涵发展的实现路径。

如果说，"一个好校长就是一所好学校"的论断有失偏颇的话，那么，"一个好校长成就一所好学校"则是合情合理的，是可以成立的。当唐江澎从前任朱士雄手中接过校长重任的时候，一份文化传承、发展的使命感、责任感便油然而生。唐校长很喜欢用"也许"来论述他的观点，我开

---

① 唐江澎．学校，一个学习的地方［M］．北京：首都师范大学出版社，2014.

玩笑地说，这是一门“也许哲学”。“也许”，其实是一种猜想，一种梦想，一种追求，闪耀着中华美学精神。许多的“也许”让锡山高中有了持续的理想标杆。校长，学校课程改革、内涵发展的关键性人物，将其称为领军人物是恰如其分的。

普通高中的内涵发展、质量提升面临着不少严峻的挑战，常常处在关系的悖论中，但是锡山高中通过课改化解了这些悖论。我们不能不说，是课改发展了一所学校，是文化引领下的内涵发展，让学校迈向自由境界。

CURRICULUM

学习：课程改革的核心

关于“后课改时代”，提法可以斟酌，我们国家的基础教育课程改革是否进入了“后课改时代”，可能有较大的争议。但是，我以为这一话题的意义和价值不在概念本身，而在于这一话题引发我们的思考，即课程改革究竟怎么向未来发展，包括发展的方向、核心、重点、路径等。这些问题的讨论与明晰更为重要。

的确，课改要深入发展，今后要做的事情很多，因为改革越是深入，越是会触及课改的整体性问题，不从整体上研究、统筹，就不可能有真正的突破和进展。不过，课改的深化还有另一个方向，那就是课改所涉及的根本性问题。对根本性问题不认识、不理解，把握不正确、不深入，课改就不会有根本性的进展和突破，而必定在同一个平面上徘徊，难以有新的提升。因此，我以为思考课改的深入，应是整体性问题和根本性问题的结合，改革从两个方向同时展开。其实，从另一个角度看，根本性问题一定会涉及整体性问题。根本性问题很有可能就是整体性问题。我们甚至还可以这么去判断：根本性问题是整体性问题的核心，根本性问题的突破会带动整体性问题的突破。

那么，课改的根本性问题是什么呢？根本性问题当然很多，但是，如果寻找的根本性问题很多，就不可能准确把握真正的根本性问题。根本性问题的寻找与确定也有两个方向，一是把眼光投向理论，关注当前国际理论界在思考什么、研究什么，理论上的一些前沿性问题会引发我们的思考，引领改革走向深入，使我们的课改与国际上的改革潮流相契合，在融入中发展。二是把眼光投向实践，关注田野上的草根，在那儿，究竟有哪些新景象，发生了什么新问题，呈现了什么发展趋势。草根的力量无穷，面向实践，改革才会真正落地。将以上两个视域相融合，不难发现：新世纪以来，发达国家和新兴国家正在不断加强对自身教育体系的反思和对世界教育的关注，把越来越多的注意力转向了基于学习的教育创新。对学习和学习者的聚焦和研究，已成为全球教育变革的强劲潮流。实践探索中所呈现的趋势与其是一致的，这是教育改革的重大转向，是教育改革的高度聚焦。对此，课程改革不能置之度外。基于学习的教育创新，应当是课改深入的核心主题，对学习和学习者的关注、研究，应当是课改的重要课题，是课改的根本性问题，这是毋庸置疑的。“后课改”应当举起一面大旗，旗帜上写下的是：以学习者为中心，以学习为核心。

这一根本问题或核心问题的确定，其理由是不难理解的。联合国教科文组织早在1972年就接到了国际教育发展委员会的报告《学会生存——教育世界的今天和明天》。后来，又接到委员会的另一份报告《教育——财富蕴藏其中》。两份报告揭示了教育改革的一些关键性问题，提出了一些重要观点：学习，即学知、学做、学会共同生活、学会发展；“终身学习是打开21世纪光明之门的钥匙”；“我们应使学习者成为教育活动的中心”；“现代教学，同传统的观念与实践相反，应该使它本身适应于学习者，而学习者不应屈从于预先规定的教学规则”；“学习过程现在正趋向于代替教学过程”；等等。学习科学已发展了30多年，作为一个学科，学习科学越来越被大家重视。与此相应，有人绘出了国际学习科学发展路线图，自1986年至2014年，共有20个标志性事件，其中包括“学习科学研究所”成立，“学习科学国际会议”召开，“国际学习科学协会”成立，《学习的本质：用研究激发实践》的出版，以及一系列研究成果的发表等。总之，学习、学习科学成为专家学者们的“特别兴趣”，当然也正在成为教师们的“特别兴趣”。有意思的是，美国教育研究协会（AERA）把“教育科学技术特别兴趣小组”更名为“学习科学特别兴趣小组”。可见，人类要发展，必须学习，人类是在学习中发展的，学习是人类发展的核心主题。

这一核心主题当然也一定要体现并落实在基础教育课改中。课改以来，我们也逐步把课改的重点指向学生的学习，为学而教、以学定教、先学后教、多学少教等理念日益为广大教师所认同，而且付诸教学实践，课程改革、课堂教学发生了显著变化。但值得注意的是，重教不重学的现象仍然普遍存在着，从总体上看，学生的学习仍然是被严重忽略的，学习者是被边缘化的，教学的低效，以至无效仍然严重存在着。可以说，教师乃至整个教育系统在促进学生学习方面的低效已经成为全球性的学习危机。这些都说明，学习问题仍未得到真正的重视。教师以至教育系统有效促进学生学习的自觉性远未真正建构起来。假若，在促进学生有效学习这一核心问题上没有根本性变化，课改是难以深入的，课改真正的目标是不可能实现的。“后课改”之“后”，正在于把握了课改的核心，有利于学生的“学”，否则“后课改”就会异化为落后，就会后退。

这里有三个问题是需要进一步明晰的。一是关于学习的理解，尤其是对成功学习的理解。研究表明，成功的学习基于真正的人际互动，特别是对儿童而言，眼睛凝视、面部表情、同理心和同情心都塑造着“社会-情感”境脉。各种形式的合作学习仍然是成功学习的重要方式。对此，今后我们应当着力研究，使之有显著进展。二是关于学习者的理解。新兴的学习科学认为，学习者是一个含义深刻且广阔的概念。从广义上讲，知识经济时代，人人都应是学习者，教师也应是学习者，于是终身学习不仅应成为学生的，也应成为教师的自觉要求。有人将“学生”解读为：学生学习生活的知识，学习生存的技能，学习生命的意义。同理，所有的课堂、学校，应当成为真正的学习型组织。三是学习科学。学习科学是个新兴的、综合性学科，它深入研究并力图解决的是，人的学习是从哪里开始的，人的学习是在哪里发生的。这就需要进行跨学科的合作，甚至需要全球共同努力。当前，在学习科学方面，我们还只是在觉醒，只是在进步，我们需要勤奋刻苦地学习，推动本土化的学习科学的丰富、完善、发展。

课程改革的深入，还有其他一些问题需要关注研究，比如立德树人问题、课改的统筹问题、教师的专业发展问题、现代技术的应用问题都很重要。不过，如果这些问题不触及学习这一核心问题，可能意义都不会很大。我们应记住：不在根本性问题、核心问题上着力，还有什么课改的深入呢？还谈什么“后课改”呢？

CURRICULUM

素养之光·跨界之美·主题之智

——以清华附小基于核心素养的“1+X 课程”深度建构为例

课程是一个世界。课程世界应当是平的。所谓“平”，是指各种学科课程应当打开自己的边界，牵起手来，互相对话。同整个人类社会发展的走向一样，合作高于竞争，合作力其实是最大的竞争力。这样的课程世界才是美好的。问题是，我们为什么要打开？以怎样的方式去打开？在这背后还有更深层次的问题：我们应该培养什么样的人？这是对校长和教师良知、勇气、智慧的考验。

清华附小在窦桂梅校长的带领和组织下，坚持做了这件事——“1+X 课程”体系的建构，而且从宏观的把握到微观的具体实施，不断完善，不断深入，不断进步。可以说，清华附小在课程世界里进行了一次重要变革，深刻而生动，其目的直指学生核心素养。今天我们关注“1+X 课程”，旨在关注其发展新视域，由此把握小学课程改革未来的走向。

一、以核心素养为统领，竖起课程综合的“标的”

【课程改革——迈向学生发展核心素养，用核心素养来统领课程改革，

让课程闪耀素养之光】

课程整合，包括综合课程开发，是课程改革的趋势，人们对此已基本形成共识。第一，课程的综合顺应着知识发展的规律：知识总是从综合走向分科，又从分科走向综合，每一次综合，总有新知识诞生，知识总是在向前向上发展。第二，课程的综合有利于培养学生的探究能力和创新精神：探究能力、创新精神总是发生在知识的交叉地带，亦即课程的综合地带抑或边缘地带，课程的综合打开了学生的视野，为学生发展提供了新的平台。第三，课程的综合有利于学生过完整的生活：生活原本就是一个整体，过度的分科打破了生活的整体性，以致生活碎片化。生活的割裂当然不利于学生的全面发展。无疑，这些理由都是正确的，也是深刻的。但这些总是就课程本身来讨论的，而没有真正走向学习者——儿童，没有深度地触及儿童发展的一些核心问题。比如课程综合的最高立意究竟在哪里，课程综合的评判标尺究竟是什么，对这类根本性问题，其实我们的认识和理解并不是非常准确和明晰。于是，在实践和研究中，难免存在一些问题，如课程综合的指向与目标、综合的程度、课程综合中是否要坚守学科的独特价值等。正因为此，课程综合总是迈不开、迈不准、迈不大步子。我们应当寻找、明晰课程综合的评判标尺，竖起课程综合的“标的”。

正如《人民教育》杂志刊发的《走向核心素养》一文中指出的：“以个人发展和终身学习为主体的核心素养模型逐渐代替传统的课程标准体系，改革的视点也从单一重视学科教学规律走向人的成长规律与教学规律的叠加和融合。”毋庸置疑，课程综合应当毫不犹豫地走向核心素养，唯此，课程综合才会有“魂”，才不会漂移，以致迷乱了方向。

清华附小在已往研究的基础上，形成了一个新的命题：“基于核心素养的‘1+X课程’深度建构”。他们通过反思，对原有的课程目标进行调整，初步拟定了“清华附小学生发展五大核心素养”。这“五大核心素养”具有以下显著特点。一是直接指向学生的学习和发展，体现了“以儿童发展为本”的核心理念。核心素养是关乎人、为了人的，人永远是目的。在每条核心素养的后面都站着一个儿童，站着一个大写的人。它超越了知识，超越了学科，更超越了分数，让儿童真正站到了课程的中央。二是形成了儿童整体发展的主要框架，以此可逐步构建一个体系。特别值得关注的是，将“身心健康”作为第一条，既符合小学生发展的特点，也符合人发展的规律。三是继承并弘扬了清华附小的办学传统，彰显了清华大学的文化印记。“五大素养”的每一条都与清华大学及其附小的历史相联系。“成志于学”，源于清华附小的老校名，取义自校训“立人为本，成志于学”；“审美情趣”，源于清华大学四大国学大师“至真、至美、至情”的美学境界。四是回应了世界教育改革和发展对人才的要求。“学会改变”既源于清华大学“人文日新”“独立之精神，自由之思想”的理念，又与改革潮流相吻合，即主动适应，改变心智模式，超越自我，走向未来。

我们尤其要关注的还有两方面。一是关于“天下情怀”。对小学生提“天下情怀”是否合适？我认为，关键是对“天下”的理解。李克强总理在与文史馆员谈文论道时，谈到了“天下”。李总理说：“中国人讲‘天下’，《礼记》里就讲了，‘大道之行也，天下为公’。这就是另一层含义。”随后他又谈到了顾炎武在《日知录》里说的“天下兴亡，匹夫有责”。他认为：“‘天下’，其实是每个人的‘天下’，所以‘天下兴亡’，才会‘匹夫有责’。”可见，天下情怀是中华民族的优良传统，是中国人的家国情怀，是关心人类进步、世界发展的情怀，是“先天下之忧而忧，后天下之乐而乐”的社会责任感和时代使命感。这正体现了清华附小学生博大的胸怀和崇高的人生追求。二是对儿童自身关于核心素养的认知与接纳程度的关注。清华附小创造性地提出“儿童版”的核心素养（严格地说，所有的核心素养都应是“儿童版”的）——“健康、阳光、乐学”，它们好听又好记，好记又好做，好做又形象。其实这六个字关涉学生发展核心素养的方方面面，内涵丰富，覆盖面很广。

清华附小的行动也告诉我们，学生发展核心素养并不神秘，我们也不是一切从零开始，只要心中有儿童，从学校的历史、现状和未来发展等几个维度，完全可以形成校本化的学生发展核心素养。而校本化的学生发展核心素养必定让“1+X 课程”走向课改高地，永远闪耀素养之光。

二、以“跨界”思维为路径，明晰课程整合的形态

【课程整合——打开学科边界，使学生迈向反省思维，成为交界上的对话者，让课程闪耀跨界之美】

如前文所述，我们通过整合实现课程的综合，意在提高学生的核心素养。在此基础上，我们还需要再追问，课程整合后形成什么样的课程形态？这样的课程形态带来的根本性变化究竟是什么？它会让课程改革走向什么样的境界？清华附小对此是有深刻思考的。首先，他们关注并思考了几件大事。一是关注了2014年诺贝尔奖的颁发。此届诺贝尔化学奖的得主竟然是一位物理学家。这折射的正是一种“跨界”现象，蕴含着深意。如评论所说：一个物理学家的身份并不能说明他的真正身份和研究领域，现代科学的前沿都是交叉的、简单的学科分类，会给知识贴上标签，进而让人产生误解。“跨界思维”“跨界研究”已进入国际性的评选范畴，并会日益鲜明。二是关注并思考了爱因斯坦。2015年是相对论创建110周年，也是这位继伽利略、牛顿之后最伟大的物理学家逝世60周年。爱因斯坦不仅是科学家，也是数理逻辑学家，还是一位富有人文主义情怀的思想家，更是一位具有强烈正义感和社会责任感的公民。他说：“如果一个人掌握了他的学科的基础理论，并且学会了独立思考和工作，他必定会找到自己的道路，而且比起那种主要以获得细节知识为其培训内容的人来，他一定会更好地适应进步和变化。”从基础理论出发，超越自己的专业，这就是爱因斯坦的科学精神和人生哲理，也许这正是所谓的“相对论”。三是关注了清华大学最年轻的教授和博士生导师之一、2015年国际蛋白质学会“青年科学家奖”获得者颜宁。颜宁说，生物学的发展有赖于化学、物理等学科提供的工具，如此才会有“结构生物学”之美。

在关注和思考之后，清华附小的结论是：“1+X课程”追求的是跨界之美，是让学生成为交界上的对话者。而其实质是思维模式、思维方法的改变。因为科学不仅仅是一种知识，更是一种思维模式与方法；科学发明的基础是文化，让科学精神与文化紧密结合，已成为当下以至今后科学、

教育界努力的方向。所以，交界上的对话者实质是跨界思维者、探究者，跨界之美实质是跨界思维之美、探究之美。这不仅仅是科学界的事情，它必定影响并进入儿童社会和教育界，也必定会影响并进入课程和教学领域。

“1+X 课程”带来的究竟是什么样的思维？我认为是杜威早就提出的“反省思维”。杜威认为人们的思维有各种方式，其中“思维较好方式叫反省思维”，“这种思维乃是对某个问题进行反复的、严肃的、持续不断的深思”；反省思维在天赋资源方面让儿童有各种不同的倾向，“概括起来便是好奇心”；在教育上的结论是，“疑惑是科学和哲学的创造者”，尽管“疑问并不等于好奇，但好奇达到理智的程度，就同疑惑是一回事了”。反省思维论述的正是源于疑惑的批判性思维，其中判断起着十分重要的作用。杜威还指出，知识性学科可能无助于发展智慧。他一直强调“学习就是要学会思维，而反省思维可以在怀疑、批判、创造中使人发生超越”。交界上的对话者，便是以开放的胸怀接纳各种知识，又以批判性的眼光加以审视，进而产生新的想象。这样就跨越了学科边界，走向了创新。

清华附小的课程改革还启发我们，“1+X 课程”是在为学生开门，而不是关门。打开学科边界，就是打开学科之门，一扇扇门被打开，互相呼吸，互相关照，互相支撑。所谓“+”绝不是简单的加法，而是丰富的乘法，其间有无限的好奇、无比的想象、无极的仁爱，等等，于是新的大门又一次被打开，学生又进入一个新的领域。这是多么神圣、精彩的时刻！

大数据时代的到来将会带来更广阔的跨界，“1+X 课程”的意义、价值还会呈现新的境界。大数据不只是指信息量之大、之丰，更是指视野之开阔，它将带来大知识、大概念、大时代。大数据时代更需要信息、知识与能量的大交流，这样才会闪耀跨界之美。

三、以主题教学为核心，确保基于核心素养的课程实施

【主题教学——成为课改的核心理念、课程的价值观以及教学的高平台，在燃烧自己的同时点燃别人，闪耀着主题之智】

围绕学生核心素养，“1+X 课程”建构了学校课程体系，丰富了课程内容与资源，如何让其落地？即如何完成课程实施？其实，课程体系本身就应包含着课程实施，否则，体系是不完整的。换个角度说，假若缺少实施的策略、途径、方式、方法，即使课程设置再科学、内容再丰富、理念再先进，课程也是无法落实和实现的。

清华附小以主题教学来展开和推动课程实施。多年来，由窦桂梅校长推动创立的主题教学在挑战中前行、完善，在经受诸多考验中坚守、发展，其意义和价值也日益丰富和深刻。

1. 主题教学是一种理论主张

必须指出的是，主题教学不只是实施层面的，也不只操作、技术层面的，它是基于理性思考之后形成的教学主张，有着充分的理论意义。这一主张是由以下框架构成的。

其一，主题教学的宗旨。窦桂梅鲜明地提出“语文立人”的宗旨，即主题教学是为了育人，为了促使儿童语文素养以至整个素养的提升。鲜明的儿童立场，让儿童在主题教学中站立起来。一个个主题犹如儿童一个个前行的脚印，一个个主题好比儿童心灵中绽放的一朵朵智慧之花，一个个主题恰似儿童向外、向前、向上攀登的支架。总之，一个个主题丰盈着儿童的心灵，强大了儿童飞翔的翅膀。进一步说，发展是最大的主题，这是主题教学最核心的理论主张。

其二，主题教学的理念。主题教学形成了“超越”的理念：立足课堂，超越课堂；用好教材，超越教材；尊重教师，超越教师。这三个“超越”以简明的语言，道明了传统与现代、课内与课外、教材与资源、教师与学生的关系。我们可以这么认识：主题教学之主题即为超越。我们应当承继，但更应超越，没有超越何来创新？何来拔尖人才的脱颖而出？我认为，这正是主题教学理论主张的崇高之处。

其三，主题教学的原则。主题教学坚持走整合之路，整合是主题教学的原则和策略。需要补充的是，整合的原则，解决了长期以来语文教学存在的“工具性与人文性割裂”“教学内容支离破碎”“学生学业负担过重”

等问题，促使语文教学结构化，从整体上和根本上提高语文教学效益。主题教学这一理论主张具有结构性、整体性、统筹性等特点。

2. 主题教学是一种实践模式

一种理论主张必须有实践模式来支撑，并且要在长期的实践中，经受住各种考验，被证明是行之有效的。清华附小在主题教学的实践中，解决了以下一些问题。一是整合类型。学科内的整合、学科间的整合、课内外的整合，这三种类型的整合覆盖了儿童的学习生活。二是整合课时。学校将原有的固定课时，调整为长短不一的“大、中、小、微”四种课时，这有利于学生学习不同课程。三是课程实施实行“三化”：课程标准清晰化——编制“学科质量目标指南”；课堂目标操作化——研发“课堂乐学手册”；学习过程自主化——凸显乐学单。四是课堂教学采用“预学—共学—延学”的教学程序。作为一种实践模式，主题教学具有目标明确、板块清晰、操作具体、检测系统健全等特点，体现了“理论化的实践”和“实践化的理论”等特点。实践证明，主题教学是可行的，是行之有效的。

3. 主题教学彰显了主题之智

主题教学像是一支火把，点燃了教学改革之火和教师创造之火。

其一，主题教学点燃了核心价值观。课程、教材本身是一种价值存在形态，但从价值走向价值观，需要通过教学去引领和转化。主题教学以关键词、意义群来呈现核心价值观，有利于核心价值观的培育和践行，而且我们可以这样判断：主题教学之主题往往是核心价值观。

其二，主题教学点燃了儿童的深度学习。深度学习是基于主题的自主学习、批判性学习，也是基于主题的创造性学习。主题教学以激情和智慧，去激发学生内在的激情和智慧，使其进入核心，进入真正的学习。

其三，主题教学点燃了教师的创造性。主题教学给了教师巨大的空间，因此，教师成了课程、教材、教学的研究者与创生者。草根生命创造力的焕发，让课程成了最有希望的田野。

班本课程的存在价值、准确定位与有效开发

CURRICULUM

近几年，在课程改革深化中，有一个概念比较流行，不少研究机构和学校、不少校长和教师都在对其进行探索，这个概念就是班本课程。应当承认，班本课程还没有在课程理论中“登堂入室”，其科学性还没有得到论证；在课堂实践中，其规范性还没有被真正建立起来，一系列问题尚处在探索阶段。用朦朦胧胧、若明若暗来描述它是比较恰切的。因此，班本课程常常被质疑，使用者、实践者也往往很困惑，会产生一些疑虑。有质疑是正常的，问题在于如果质疑和疑虑不解决，班本课程的探索就难以深入。经过合理的研究，笔者认为：班本课程有其存在的必然价值，我们应该对班本课程进行准确定位与有效开发。

一、在质疑与困惑中，确立班本课程的存在价值

如果我们作些概括的话，那么可以看出目前人们对班本课程的质疑与困惑有以下几个方面。第一：国家课程、地方课程和校本课程，已明确写进了《课程纲要》，顺着国家—地方—校本这样的思路，再往下延伸，再往下推，提出班本课程，难免有为拓展而拓展、赶时髦的嫌疑，这是课改的创新吗？第二，国家课程、地方课程、校本课程的概念是成立的，班本

课程的概念成立吗？有必要吗？第三，当下学校课程已经比较“满”，即使班本课程的概念是成立的，但学校究竟有多少空间是留给它的？教师的工作也已经很“满”，他们究竟有多少时间、多大能力去开发它？班本课程开发可行吗？以上三个问题，涉及班本课程的合理性、必要性和可行性。显然，这样的质疑和疑虑有助于班本课程的研究与实践，也有助于让研究者，尤其是让实践者持更加科学的态度，更脚踏实地地去探索。

只有逐步消除疑虑，探索者才会更有自信地进行改革、实验。对班本课程我也有一个学习、思考的过程。经过持续的研究，我对以上一些质疑和疑虑形成了一些基本判断，结论是：班本课程的存在是必要的，有其存在的价值。

1. 从课程政策的角度看，赋权成为课改的重点之一

我们简要回顾一下我国第八次课程改革，《课程纲要》明确提出，实行国家、地方和学校三级课程管理，其意义是课程权利的分享，以调动各方尤其是学校的积极性。这一赋权的理念在第七次课改时就开始显现，当时就提出“国家安排课程”“地方安排课程”。显然，赋权成为课改的重点之一。放眼世界，我们不难发现，赋权成为世界各国课程改革的重要思想，成为世界各国课程政策的共同主题。美国一直致力于建立“分权化的课程体系”，其中特别重视学生的作用，提出“学生是课程政策影响的对象，学生团体属弱势人群，但他们对课程决策在某种程度上也能产生一定影响”。世界各国课改的这一赋权的共同趋势，极大地调动了教师和学生开发课程的积极性，也给他们留下了开发的空间。班本课程的出现是政策赋予教师的权利，教师开发班本课程是享受、使用权利的体现。

2. 从课改的领导路径看，自下而上的路径更受关注

随着课改政策的调整，课改的领导路径也在调整，即自上而下与自下而上路径的结合，随着课改的深入，自下而上的路径更受重视，其根本原因就在于，自下而上更重视基层的力量，更重视校长和教师的参与，充分发挥他们的自主性和创造性。正是在自下而上路径的引领下，草根不仅不是沉默的，而且会发出富有创造性的声音，课程真正成为希望的田野。因

此，我们不妨这么去理解，班本课程是自下而上生长起来的，它印证了斯腾豪斯“教师作为课程研究者”、施瓦布“教师作为课程实践者”、吉鲁“教师作为课程批判者”的课程理念，并使之得以逐步实现。

3. 从课程开发的主体看，凸显了班级的主体作用

课程开发及其命名有不同维度，开发主体是其中一个很重要的维度。国家课程、地方课程、校本课程正是从开发主体这一维度来研究和命名的，开发的主体分别是国家、地方、学校。于是，与国家、地方、学校相对而言属同一个维度的班级，也可以成为开发主体，用“班级”来命名“班本课程”是顺其自然的，也是无可非议的。班本课程凸显了班级的主体作用，让班级在课程的开发和管理中有了自己应有的位置。这样，从开发主体出发，形成了课程开发的系列，也形成了课程管理链条，这有利于课程开发的系统思考和整体设计，也有利于课程的综合管理。

4. 从国外课程改革的趋势看，班级设计、落实课程方案成为趋势

1998 年 6 月，日本教育课程审议会总结报告发表，该报告展示了 21 世纪日本新的教育课程构想，其一大特点就是新设“综合学习时间”。新设“综合学习时间”的主旨是各学校需要创造性地展开适合地区和学校的、有特色的教育活动，其主要目标是通过创造性地开展横向的、综合的学习，培养学生自己发现课题、自己学习、自己思考、主体判断、解决问题的能力。这种新设的“综合学习”，不仅由学校设计，也让班级设计，即使是学校设计的，也往往落实在班级中。我以为，这其实就是一种班本课程。

基于以上四个角度的讨论，我们可以初步得出这样的结论：尽管当前还没有为班本课程命名，但班本课程却是课程系统中的一个组成部分，是一种自然存在；班本课程是课程深化中教师们的一种创造，表现了他们对课程开发的愿望，体现了他们的创造精神和能力；尽管其合理性、必要性、可行性仍需深入和具体讨论，不过它已经显现出存在的价值。因此，我们应当去除疑虑，在质疑中不断完善，满怀信心去开发班本课程。

二、在学校课程体系中，逐步明晰班本课程的定位

对班本课程的探索尚处在初始阶段，有不少问题，尤其是班本课程在学校课程体系中的定位，还不是十分明晰。为此，我们需要在研究和实践中使之逐步明晰起来。

1. 班本课程性质的准确定位

课程理论与实践都告诉我们，所有课程来到学校，都会经历校本化的过程，成为学校课程的一部分，因而都会拥有一个新的共同的名称：学校课程。毋庸置疑，班本课程也应是学校课程体系中的一个部分、一种课程形态。我始终坚持认为，学校中所有的课程都是课程大家庭中的兄弟姐妹，都应是平等的，都很重要，“一个都不能少”，因为评判其地位不是以课时的多少和课程形态来决定的，所有课程都应是等值的，它们各有各的理论价值和实践意义。

问题是班本课程与校本课程的关系还不明晰。它们的关系不外乎是两种。其一，班本课程是校本课程的一个部分、一种形态，是“父子”关系。理由很简单，班级是学校的一个组成部分，学校作为课程开发的主体，自然包括班级，班本课程也应属于校本课程。其二，班本课程与校本课程是并列的关系，是“兄弟”关系。理由也很简单，校本课程往往由校长主持开发，严格地说，其开发主体是学校，这里的学校并不包括班级。班本课程却由班主任和任课教师主持开发。以上两种关系划分都可以，不过，为了突出班级开发课程的重要性，我以为应以第二种关系为更好。

班本课程与校本课程并列，带来的一个问题是，班本课程是校本课程的补充抑或是拓展吗？这里暗含着另一个问题，那就是因为我们不能将校本课程看作是为国家课程服务的（《课程纲要》中已明确这一点），所以照理也不能将班本课程看作是为校本课程服务的。但实事求是地从另一个角度说，无论是可开发的空间，还是开发的能力，班本课程与校本课程还是存在差异和差距的。在这种情况下，不必大量地开发班本课程，而应将其定位为对校本课程的拓展和补充，这样的定位至少目前是比较合适的。随

着改革的深入，班本课程的地位将被进一步提升，那时，再讨论它与校本课程的深层关系也不迟，而且那时的讨论可能会更成熟，定位更准确。

2. 开发班本课程宗旨的定位

与开发校本课程情况相似，说到开发班本课程的宗旨，我们首先想到的是为了进一步形成并提升班级特色。班级建设与发展的确需要形成班级特色，特色可以推动班级的个性和风格的发展。但班级特色总要有落脚的地方，在诸多可以落脚的地方中，班本课程是一个重要的落脚点，因此，应通过班本课程的开发与建设，进一步追求班级的特色，这是理所当然的。但宗旨止于此，远远不够，否则，班本课程就可能成为班级特色的一个标签。我们需要进一步追问：形成、提升班级特色又是为了什么？答案是明确的：班本课程最终是为了满足学生学习的需要，促进学生的个性发展。这一宗旨是由文化来决定的。班级特色的深处是班级文化，而文化的实质是人化，即以文化人，又以人化文，学生不仅是文化的体验者、享用者，更是文化的创造者。班级特色说到底是班级文化特色，而班级文化说到底是班级的学生和老师创造的。因此，无论是班级特色、班本课程还是班级文化，其核心都是学生，学生积极参与开发与建设，获得全面而有个性的发展。正因为此，班本课程的开发，不应只从班级特色的追求出发，而应立足于学生发展需求，着眼于学生个性发展和可持续发展。在这个过程中，自然会形成、提升班级的特色。

3. 班本课程主要特点的定位

大凡课程都有共同的特点，要开发完全不同特点的课程既无必要也几乎无可能，同时，课程特点也是在比较中抽象出来的。在与其他课程比较中，班本课程有以下几个突出的特点。

班本课程更具综合性。班本课程不是为国家课程服务的，更不是为应试教育服务的。直白地说，它不应围绕应试科目来开发，因此，围绕语文、数学、外语等学科内容的拓展和加深的课程，不应作为班本课程，我们要坚决反对和防止这种现象的出现。班本课程要以综合性为主，应对学科课程进行统整，增强学科与生活的融合，超越学科的综合性是班本课程的基本特征。综合，是指开阔学生的视野，丰富学生的心智；综合，是指引导学生在学科的交叉地带生成创造性思维，培养学生的创新精神。

班本课程更具实践性。班本课程是以实践为主的课程，而实践的主要形态是活动。综合性决定了班本课程的重点不是追求知识，它的实施途径也不是课堂。强调实践性，就必须力避把班本课程的实施当作变相的课堂教学。坚守实践性，是为了让学生在丰富多彩的实践活动中，在调查访问中，在动手操作中，在游戏中，在田野里，在社区中，在企业里，生长兴趣、爱好，培养特长，生成实践智慧。

班本课程更具班级文化的情境性。班本课程在班级文化土壤里生长起来，又促进了班级文化的发展。班级文化情境凝聚着班级的文化愿景，体现了班级的文化认同，折射着班级师生的个性特点，最终形成班级风格。所以，班本课程可以视作班级文化以至班级的另一个名称。

4. 班本课程类型的定位

班本课程的类型怎么划分？按着通常的划分，有广义与狭义两个维度。所谓广义班本课程，是指所有课程的班本实施，准确地说，这些课程其实都是班本化实施，因为，课程最终是落实在班级中的。所谓狭义班本课程，是指班级单独开发的课程。显然，广义班本课程量大，而狭义班本课程量小，但它更具特色，更有意蕴。广义与狭义班本课程的结合，形成了班级特有的课程景象，进而形成丰富的班级文化气象。

从呈现的方式来划分，可分为显性的班本课程和隐性的班本课程。隐性班本课程又有两种情况。一是班本实施的所有课程，包括狭义的班本课程。在实施过程中，教师总是自觉或不自觉地按着班级的实施情况和自己的意愿，加以调整或修正，使之更符合班级的教学对象和教学情境。从名称上看，它们仍然是国家课程、地方课程、校本课程，其实，已悄悄地演化成了班本课程。二是班级环境，如班训、班风、班级规则、班级运行的程序等，这些都是隐性的班本课程。专门开设的、狭义的、显性的班本课程固然重要，而弥散性的、渗透性的隐性班本课程更为必要。

三、在激情与理性的统一中，合理开发班本课程

班本课程的合理开发，既需要激情，又需要理性，需要激情与理性的结合与统一。合理性，是班本课程开发的应有追求。强调合理性，可以警惕和防止班本课程开发的盲目性和随意性，警惕和防止班本课程开发中浮躁和急功近利的现象。

班本课程由谁来开发？班本课程开发的主体是教师，班主任应是组织者和设计者。教师作为开发主体，并不排斥校长的指导，但校长绝不是主体。同时，教师开发，并不意味学生只是被动的接受者，相反，学生是主动的、积极的参与者。我认为，与其他课程不同，班本课程更需要学生的参与，我们甚至应当确立这样的主导理念、追求这样的境界：在教师的指导下，学生是班本课程真正的开发者。说到这儿，既然有班本课程，那能不能提师本课程呢？我以为没有必要，也不科学，因为所有课程都应由教师去二次开发和实施。

班本课程根据什么来开发？班本课程开发的根据是多元的，但多元的根据，不能让班本课程开发陷在复杂化的纠结中。从制度上看，班本课程应当依据学校课程的总体规划，这样，才能让班本课程融入学校课程体系之中，与其他课程形成育人合力。从与校本课程的关系上看，班本课程更要与校本课程相统筹、相协调。如前所述，尽管班本课程与校本课程并列，但在特性上它与校本课程最靠近。与校本课程相统筹、相协调，才更能彰显班本课程的独特之处。从开发的原则上看，班本课程开发要基于学生的需要。校本课程也强调从学生需要出发，但我们必须认识到，教师只有沉入班级，才能真正了解学生真正的需要。

班本课程开发的空间有多大？所谓空间，就是究竟有没有时间可供班本课程使用。学校的总课时是有限的，已被地方课程、校本课程“瓜分”得差不多了，几乎没有课时了。因此，为了保证班本课程的开发，学校应作整体规划，给班本课程划分一定的课时，这是从狭义班本课程开发的角度说的。广义班本课程并不存在空间问题，而是在理念上、在对班本课程

基本问题的把握上存在问题。班本课程的开发有三个值得注意的问题：一是千万不要以班本课程开发来占满学生所有的时间，给学生留一点自由支配的时间吧。二是千万不要让所有的生活都课程化，让学生有一点自由自在的爱好吧。学生可能正是在自由自在的非课程中得到发展。三是班本课程尤其是狭义的班本课程要求质而不是求量。

班本课程开发的规范要求是什么？最突出的一个要求是，在调查、研究的基础上，形成班本课程开发与实施纲要，明晰理念，厘清它与其他课程的关系，作出整体安排。班本课程的合理开发，最终关涉教师的专业发展，尤其是课程能力。

第二辑

CURRICULUM

地方课程：特质与边界

- 地方课程追求的是地方性知识，而不是普遍性知识。地方课程的题旨就是要从“本土”的文化特点、资源特色及发展需要出发，集中、突出地反映“本土”知识，即地方性知识。

- “地方性”是地方课程的内在规定性，是地方课程的特质和边界。研究和开发地方课程必须界定好“地方性”，研究和把握好“地方性”，紧紧围绕“地方性”建设地方课程。

- 地方对课程的管理，就要让课程的管理制度更加人性化，成为地方、学校和教师实现自由、追求创新的保证——这是课程管理的最高境界。

CURRICULUM

地方性知识视域中的地方课程开发

早在 20 世纪 60 年代，“地方性知识”[①] 命题对地方课程开发就具有重要的理论借鉴意义。地方性知识是当代美国阐释人类学家克利福德·吉尔兹首创的一个概念。它一经提出，便在人类学界乃至整个社会学界引起了广泛的关注和极大的影响，其理论和基本思想渗透到文化研究的很多领域，在哲学、语言学、心理学、民俗学、神话学、美学、剧场学等方面都产生了深刻的影响。分析个中原因，是因为地方性知识为理解和推动社会科学的本土化，从知识观上提供了理论支撑，并且开辟了一种新的思路。

值得注意的是，地方性知识命题至今还未充分进入教育领域，还未引起课程专家足够的关注。笔者以为，地方性知识的理论及其文化意义的阐释，同样可以为课程改革提供理论支撑，特别是可以为地方课程及其开发提供一个独特的视角和方法论。这样，我们可以在地方课程与地方性知识中寻找到意义的连接、理论的借鉴以及方法的互用，以使地方课程及其开发建立在又一个理论基石上，同时更具国际视野和现代性，并求得深入和新的突破。

---

①[美]克利福德·吉尔兹.地方性知识——阐释人类学论文集[M].王海龙，张家瑄，译.北京：中央编译出版社，2004.

一、地方性知识的价值与地方课程的地位

地方性知识在人类学以及社会科学中具有十分重要的价值与意义，占有十分重要的地位。其一，它是对历史特殊主义的认同和具体阐释。在人类学理论的发展史上，普遍主义和历史特殊主义之间的方法之争始终是贯彻始终，二者分别围绕着人类文化的“同”与“异”的两极而展开交锋，各不相让。普遍主义者认为，人类学的宗旨是发现人类文化的共同结构或普遍规律，历史特殊主义者则强调各种不同文化间的差异性特征，主张作具体细微的田野个案考察，而相对轻视和避免宏大的理论建构。吉尔兹属于后者，他始终看重的和倡导的是人类文化的差异，即地方性。他承认田野工作者的素养、经验、考察方式确有至关重要的影响，但是他认为，田野工作者的眼光和观察毕竟不是照相机，纵然就是照相机，其叙述的镜头永远有选择性。地方性知识倡导的是地方的文化差异性，但差异性又并非浅表性。其二，这种对历史特殊主义的认同又与社会科学本土化的思潮紧紧联系在一起。社会科学本土化成为一种思潮，成为学界较为普遍的心态和追求。在这一思潮中，中国学者也迈开了行走的步伐，力图摆脱西方理论框架和研究方法的束缚。比如，金耀基在《社会学的中国化：一个社会学知识的问题》中提出：“社会学中国化”包括“社会学充分地在中国发展，使它与中国的社会发生关系，为中国所用，使它在中国生根”。[①] 其三，地方性知识的寻求是和后现代意识共生的。矫枉现代化及全球化进程中的弊端，后现代的特征之一就是“地方性”——求异，不管它的结果是异中趋同，还是异中见异、异中求异。[②] 其实，“全球化不是同质化”，

① 杨国枢，文崇一．社会及行为科学研究的中国化［J］．“台湾中央研究院”民族学研究所专刊，1982（10）．

②［美］克利福德·吉尔兹．地方性知识——阐释人类学论文集［M］．王海龙，张家瑄，译．北京：中央编译出版社，2004．

“全球化和地方化是同步的，有全球化就一定有地方化”。[①] 其四，新的知识观和知识体系告诉我们，在知识体系之外，实际上还存在着各种各样的本土化知识，即使这种知识还从未走入课本和词典，西方如此，中国亦如此。准确地说，地方性知识是新知识观的体现，是对知识体系的一种丰富和完善。

至此，我们可以对地方性知识的价值与意义作一些概括：地方性知识是对全球化进程和社会科学本土化思潮的一种积极回应和推进策略，抑或是一种战略性对策；地方性知识是知识体系中不可或缺的组成部分，它与普遍性知识同等重要，不但完全有理由与所谓的普遍性知识平起平坐，而且对于人类认识的潜力而言自有不可替代的优势，甚至，“世上罕为人知的极少数人使用的语言可能在把握现实的某个方面比自以为优越的西方文明的任何一种语言都要丰富和深刻”。[②] 吉尔兹提出的地方性知识的价值，聚焦在对人类文化意义的阐释上和文化建设的方法上，正如詹姆斯·考夫曼所说：吉尔兹“最本质的精髓在于他向我们展示了那种比我们亲自所见更加显豁的东西”。

用地方性知识的内涵与价值来观照地方课程，其意义也是显豁的。笔者以为，地方课程是地方性知识在课程领域的具体体现，地方课程是地方性知识的载体，讨论地方性知识，在课程领域应当讨论地方课程；研究地方课程的特质与地位，也要着力研究地方性知识，找到两者的契合点。我们可以从两个方面来分析地方课程在课程中的地位。一方面，地方课程追求的是地方性知识，而不是普遍性知识。地方课程的题旨就是要从“本土”的文化特点、资源特色及发展需要出发，集中、突出地反映“本土”知识，即地方性知识。即使是普遍性知识，也应“本土化”，赋予其“地方”的理解和“地方”的意义，经历“本土化”的过程。其实，地方性知识和普遍性知识在本质上是相同的，所不同的只在于它们适用的有效范

---

① 桂维民．对话与创新［M］．桂林：广西师范大学出版社，2005.

② 叶舒宽．地方性知识［J］．读书，2001（5）.

围，“我们所说的地方性知识也都存在发展为普遍性知识的可能”[①]，“没有整体知识，只有局部知识，但每个局部知识又包含着整体意义”[②]。从这一意义来理解，任何地方课程都应“本土化”（包括校本化）。另一方面，地方课程是为了求异，而不是求同。所谓求异，是寻找地方课程与国家课程的差异，凸显地方课程的特质与价值。对差异认同和厚爱的意义又汇集于一点，即为了增强课程的地方适应性，让学生了解“本土”，热爱“本土”，将来为“本土”的发展奠定作贡献的基础，从而满足地方经济、文化、社会发展的需要。地方课程的求异，促使课程结构的完整和丰富，从一元走向多元，拓宽学生的文化视野，丰富学生的心智，完善学生的素质结构。

为此，笔者以为，地方课程在课程结构中具有相对独立的地位与独特的价值：地方课程与国家课程从不同角度承担着促进学生素质发展的重任，在承担为中华民族的复兴奠定基础的使命的过程中发挥着不同的作用。严格地说，它不是国家课程的补充或拓展。地方课程具有独特地位，人们在地方课程开发中不能异化它的特质、优势，也不能淡化它的价值和功能。

二、地方性：地方课程的内在规定性及其文化意义的阐释

“地方性”是地方课程的内在规定性，是地方课程的特质和边界。研究和开发地方课程必须界定好“地方性”，研究和把握好“地方性”，紧紧围绕“地方性”建设地方课程。

从本义上讲，地方是指地域。《管子·形势解》中说：“桀、纣贵为天子，富有四海，地方甚大，战卒甚众，而身死国亡。”因此，地方性可以

① 欧阳芸，等. 全球化时代中国社会科学的本土化——从地方性知识的视角［J］. 兰州学刊，2005（2）.

② 汪丁丁. 记住“未来”［M］. 北京：社会科学文献出版社，2001.

理解为地方所固有的和地方所特有的。所谓固有的，即为传统的，它原本存在于本土的历史和传统之中，是从本土文化之根中生长出来的；所谓特有的，即为本土的，是土生土长的，它具有鲜明的区域性，显示出与其他地方的显著差异性。无论固有还是特有，均揭示了“地方性”的基本属性。此时，“地方性”往往指领域，由此，地方性的领域又可被引申为“视域”，即把地方性视为地方的文化地标，引导我们从文化的立场上去看待、审视和划定地方性。

从价值观上讲，“地方性”表明为一种态度和立场。吉尔兹认为，地方性知识首先指一种新型的知识观念，一种对知识产生及其有效性的新态度。这种地方性也不仅是在特定的领域意义上说的，它还可涉及知识生产与辩护中所形成的文化与亚文化群体的价值观，由特定的利益关系所决定的立场和视域等。① 地方性、地方性知识的这种价值观，表现为对地域文化的认同和尊重，对多元文化的辩护和追求，同时也就表现为对单一文化的反对，对西方强势文化的反动与拒斥。这是一种由价值观所带来的态度和立场，因此，吉尔兹还把“地方性”指向“情调”和情感。在现代化的进程中，在日益全球化的今天，我们更要持守这种态度和立场。

从内涵与意蕴上讲，“地方性”并不是一个单一的、狭隘的、封闭的系统。“地方性”是具有包含性的和想象力结构的。同时，“个案具有普遍性”。② 这种“普遍性”让人们之间，透过“地方性”的罅隙，去发现他者。“地方性”具有超越性——超越区域，超越自我，它可以引发想象，而在想象中发现另一个文化世界，进而锻造成一个“宏阔的胸怀”。

从“地方性”的文化意义阐释中，我们不难对“地方课程”的内在规定性及文化意义形成一些基本观点。第一，地方课程重在“地方性”的文化背景和文化意义。地方课程负载的是地方固有的和特有的知识和文化，

---

① 盛晓明．地方性知识的构造［J］．哲学研究，2002（12）．

②［美］克利福德·吉尔兹．地方性知识——阐释人类学论文集［M］．王海龙，张家瑄，译．北京：中央编译出版社，2004．

它对于本土以外的区域不具有普适性，不同区域的地方课程应是不同的。鲜明的“地方性”应是地方课程的特质和边界，甚或是地方课程的生命之所在。其意义在于，让“地方”的学生了解本土的文化世界，逐步形成本土的文化体系，让他们有自己独有的文化空间，追求本土的文化存在。这种对本土文化的认同，让学生形成“根”的意识；同时，这种对充满乡土气息大众文化的尊重，逐步培养学生的平民意识和热爱本土的情怀，无疑，又是对长期以来普遍性知识观教育下逐步形成的精英意识的反抗。因此，地方课程应是地方文化的课程，其最高价值在于给学生一个地方文化的价值认同，进而形成价值体系。这就是所谓的态度与立场。从另一个角度讲，这种态度和立场也是地方教育行政部门对地方性知识、地方课程开发的态度和立场。

地方课程应是一个开放的系统。地方课程理所当然地重在“地方性”，突出固有的特有的地方性知识、地方文化，但它绝不是一个封闭的空间，相反，它应是一个开放的系统，可以说，开放性是地方课程的现代特征。其理由可以阐释为以下四点。(1)“地方性知识并未给知识的构造与辩护框定界限，相反，它为知识的流通、运用和交叉开辟了广阔的空间。知识的地方性同时也意味着开放性。”(2)“地方”不仅仅是区域的概念，而且是一个文化观念。文化具有流动性，它没有脚却可以到处走，没有翅膀却可以到处飞。文化的这种流动性带来文化的开放性。地方总是与文化联结、融合在一起，也即与流动、开放联系在一起。在这种文化观念引领下，我们应打破“地方”的封闭性，以“地方”为视角，或者说从“地方”出发，走向更广阔的空间。(3)“地方”从来都不是孤立存在的，它虽有边界，但边界可以跨越；它有文化特性，但不同的文化之间可以交流。历史一次又一次证明，“地方”不能封闭，也封闭不了。尤其是如今的“地方”，更是一个地域的概念，开放性越来越强，文化上的、心理上的边界越来越模糊。(4)地方性知识与普遍性知识的融合是知识发展的趋势。普遍性知识是人类共同的文化财富，然而它不能漠视本土社会和本土文化的存在，不能脱离地方性知识而存在；同样，地方性知识也不能固守自我、封闭自我，拒斥普遍性知识。普遍性知识最终会本土化，地方性知识亦应逐步具有普遍的意义。这些基本理念下的地方课程当然是开放性的。从价值观来说，它应向人类文化开放，尊重、吸纳多元文化；从内容体系来说，它应吸纳“地方”以外的各种现代知识。但是，地方课程应以地方性知识为主，“地方”以外的知识与文化也应经历“本土化”，否则地方课程会异化。

总之，“地方性”应是地方课程的特质与边界，应是区域性与开放性的统一，这种统一才是对地方课程文化意义的完整阐释。

三、地方课程的开发与构造

对于陈旧的知识观和“全球化”所带来的文化困境，地方性知识不仅仅有批判的甚至颠覆的意义，而且对新知识观和文化体系建立具有十分重要的建设意义；地方性知识不仅仅是一种文化观念，而且对文化建设具有方法论的意义。对地方课程而言，地方性知识不仅是地方课程的一种理论视角，而且也是地方课程构造的一种方法论的提示。

1. 关于地方课程内容的确定

如前所述，地方性是地方课程的特质与边界，它规定了对地方课程内容判断与选择的原则和标准。地方课程应包括哪些内容呢？

吉尔兹对阐释人类学思想最大的贡献之一是他重新阐释了文本的观念。“文本”一词的原始义是指“书写或刻印下来的文字或文献”。在吉尔兹的概念中，文本已远不是符号本身，而是一部“以行动描写和揭示着的文化志”，是立体文化之源泉，他强有力地倡导文本本身就是一个文化描写的系统。这一深刻的阐述启发我们，从某种角度讨论，地方课程应是地方的文化志，是地方文化的描写系统（是地方文化志与文化描写系统的一部分）。在这描写系统中，笔者以为，“文化”又可分解为地方的文化背景、地方的文化传统、地方的文化需求以及地方的文化展望。所谓地方文化背景，关涉到地方文化的来龙去脉和“文化地理”，它将会告诉学生“我们是从哪里来的，我们又到哪里去”。所谓地方文化传统，即落脚于地方的“小传统”上。这种小传统是“由民众日常生活中的价值规范、伦理道德和行为规则所构成的文化系统”。它深植于民间意识和社会心理中。小传统实质上是草根文化。所谓地方的文化需求，侧重在对地方经济发展、社会进步以及文化建设的了解上，以改善人们文化生活的方式和状态。所谓地方的文化展望，侧重对地方发展的预示和走向的把握，以引领人们文化生活的方向。知识是文化的符号，是文化的一种载体，但是地方课程的内容绝不能停留在知识的表达与传授上，而应对文化意义进行阐释，真正意义上的地方课程应是地方的文化课程。

当然，知识与文化是联系在一起的。地方课程试图为当地人提供体现“地方性知识”的课程。但是，值得注意的是，课程所提供的地方性知识恰恰不是地方文化持有者的当前生活境遇所最为需要的，事实正是向我们发出了如此的追问和挑战。很明显，受教育者生活境遇中的问题不只与地方文化相关，更与他们的生存和生活质量的改善有关，地方课程开发的首要原则，不是体现地方性知识，而是要关注地方性问题。[①] 地方课程开发的首要原则究竟是什么，值得商榷，但关注“地方性问题”无疑是一个十分有价值的命题。“地方性问题”命题的价值在于：“地方性问题”不是别人的问题，而是自己的问题；不是知识性问题，而是生活性问题；不是过去的问题，而是现在和未来的问题。这样，地方课程把学生的目光引向自己的生活，引向实践，引向现实，引向未来的发展，这就体现了地方性知识和地方课程实践性的原则和品格。其实，“地方性问题”实质上也是一种文化问题。这样，以文化为核心，从“地方文化”和“地方性问题”两个维度建构了地方课程的内容。

---

① 蒋红斌．地方性知识与地方课程开发——一种批判性反思［J］．教育研究与实验，2003（4）．

2. 关于地方课程的形态

基于地方性知识的地方课程，其形态必然和地方性知识的形态联系在一起，也必然与国家课程的形态有显著的差异。笔者以为主要有以下三个方面的差异。

其一，地方课程基本形态是综合性的，而非“学科化”。国家课程表达和传送的是普遍性知识，普遍性知识最基本最简明的存在形式就是百科全书、词典和各种教科书，它以学科的形式呈现给人们。但是在普遍性知识以外，即在学科式的知识体系以外，还存在着各种各样从未走入过课本和词典的本土化知识，它们没有被“学科化”，更没有形成“学科”。在日常生活中，这些本土化知识总是以综合的方式存在着，呈现着地方的完整图形。既如此，当它们成为地方课程内容以后，也不应被破坏和肢解，形成所谓“学科”。这种综合性的内容，体现着往复无穷的生命观念，散发着地方文化特质的乡土气息。江苏在地方课程建设中，全省各地按文化区域，分别编写了吴文化、盐阜文化、淮扬文化、汉文化等读本，包容性大，内涵综合，显然不是国家课程中的“学科”概念。地方课程的综合形态必须坚持。

其二，地方课程实施的基本形态应是实践性活动，而非“课堂教学化”。从本质上说，地方性知识是一种实践性知识，是人们的一种实践智慧。这种知识与智慧既是在实践中诞生的，又凝练和渗透在实践中，它所呈现的不是概念、原理、原则等知识块，而是具有弥漫性与飘散性的文化。正因为此，地方课程实施的基本途径是学生的实践活动，包括调查、访问、观察、讨论、探究等，也包括学生的日常生活中的体验与领悟，而非课堂上的讲解与传授。把地方课程主要放在课堂里来“教”，实质上忽略了其实践性。地方课程实施的“课堂教学化”将会消弭与国家课程的差异性，演化为变相的国家课程，这会使地方课程在“教室”中沉寂以至退化、异化，从而丧失开发的初衷及原来的价值使命。

其三，地方课程的基本的呈现形态应是实践性活动中的鲜活材料，而非“教材化”。地方课程需要有自己的呈现方式和载体。但是它总是以自己独有的方式呈现给人们。它就在生活中，存在于生活的世界中，鲜活、生动、丰富、多彩。倘若用单一的文本教材来呈现，用教材的话语来叙述，势必抹杀它鲜活的特性，甚至扼杀它原本的生命活力。问题的另一面，既然是课程，就必须对原生态的知识和问题加以梳理和适当地概括，赋予课程的意义，而绝非散乱的、无序的。因此，地方课程并不一概否定文本，编写一些读本也是课程的应有之义。但是，这样的文本应充分保留生活的鲜活性和情景性，具有召唤力，形成情景的召唤力结构，即以暗示、启发激活学生对地方文化、地方性问题关注的敏感性和改变现状的创造活力。地方课程"教材化"，其间不乏经济利益的驱动，这更应引起我们足够的重视。

3. 关于地方课程的开发方法

地方性不仅指一种新型的知识观念、一种关于知识产生及其有效性的新态度，而且指一种知识产生的方法。以地方性知识为核心的地方课程，也必然从地方性知识的产生及辩护中吸取有效的方法，并借用这些方法，建构与开发地方课程，可以使地方课程的开发更规范更科学。

我们可以先回览一下当下地方课程开发的方法。据笔者所知，当下地方课程的开发一般有以下几种方法。一是思辨型的。根据文件精神和要求，也根据课程理论，思考地方课程的内涵，大体框定地方课程的主要内容，设想内容呈现的方式，然后组织专家编写。这种方法有坐而论道、闭门造车的味道。二是经验型的。不少地方凭借乡土教材编写的经验，对乡土教材进行改造，或者借用校本课程开发的方法，在校本课程的基础上加以扩展。从某种意义上讲，这样的地方课程成了新的乡土教材和扩大使用范围的校本课程。三是采用学科课程延伸、补充的方法。针对所谓"主课"，对它们进行扩展、深化，于是成了地方上使用的第二套语文、第二套数学等。显然，到目前为止，地方课程开发还未有较为成熟的程序、方法和技术。当然，地方课程开发应借鉴校本课程开发的方法以及以往开发课程经验，但是，地方课程应该从地方性知识的产生与辩护中寻找具有自己个性的开发方法。这种个性化的开发方法大致有以下一些方面。

田野工作，即在“田野”中对生活情景进行观察、了解和反思。知识总是在情景中产生又反映在情景中，它们的产生在本质上都具有情景性，尤其是地方性知识，更具生活性、情景性。地方课程只有在日常的“生活世界”中才能寻找到自己的根据。因此，地方课程开发首先要对当地人们的生活进行调查和考察，其落脚点是社会和民间的小传统。没有对小传统的深入了解，就不可能把握地方性知识的精髓，也就不可能把握地方课程最主要的内容。这种对小传统的了解，实际上是对地方历史的回顾，对传统的梳理，对地方发展现状的考察。我们不能离开这一生活着的“田野”，在“田野”里调查和开发，就会使我们贴近地面，获得“地气”。这种人类学研究和工作的方法完全可以迁移到地方课程的开发上来。

内部眼界，即用文化去观照、过滤和整合地方性知识。吉尔兹的文化观受到了韦伯关于文化是“富有意味的网”的观念的影响，他认为这张网就是符号之网，文化学家的任务则在于分析这些符号的交通，而这种分析就是吉尔兹所提出的“文化持有者的内部眼界”。同样的，地方课程的开发者也担负起分析“田野”中所获取的各种小传统和地方发展的信息的责任，用文化的眼光去分析、过滤，加以选择、整合和提炼，赋予文化的阐释，形成文化的内核，彰显文化的意义，形成课程的框架。“文化持有者的内部眼界”这一重要概念，为的是对田野工作的素材以及过程中的不足加以修复和调整。可以说，地方课程的开发者就是“文化持有者”，他们的“内部眼界”就是一种文化的审视而整合。地方课程绝不是田野信息的无序呈现，而是“文化持有者”的一种审视后的内部加工。

深度描写，即显微研究法。[①] 文化符号是十分复杂的，哪怕是一个极简单的符号都可以隐含着无限的社会内容，因此，必须对文化符号条分缕析，揭示其多层内涵，进行深富哲思的层次化分析。这种深度描写，运用显微法，强调以小见大，以此类推地去观察和认知。因而地方课程的开发

①［美］克利福德·吉尔兹.地方性知识——阐释人类学论文集［M］.王海龙，张家瑄，译.北京：中央编译出版社，2004.

可以从小处着手，通过对案例的分析或情景描述的解读，组织课程内容，进而有新的认识和新的发现；地方课程重视“田野”和日常生活的描述，但绝不是意味着肤浅与平庸，而是“白描”中的“深描”，让学生感受到文化的力量；地方课程开发也绝不意味着地方性知识的简单呈现，而是课程意识观照下的内容重组和深度建构。

地方课程管理和地方课程开发

CURRICULUM

新一轮基础教育课程改革有两个重要的命题——地方课程管理和地方课程开发，这是地方进行课程改革的基本任务，也是推动新课程改革的有效举措。它的确立从一个侧面表明，我国的基础教育课程改革已开始站在世界课程改革的平台上，并将进一步推动我国基础教育课程改革的深入。

一、两个任务的和而不同

地方课程管理与地方课程开发是两个和而不同的概念，它们从不同的侧面规约着地方在课程改革中的任务。随着课程改革的全面推开和实验的不断深入，这两个命题已成为课程改革的重点和持续研究的热点。但是在实践中，人们对此的把握却有一些偏差，如强调地方课程开发而忽视地方课程管理，地方课程开发仅限于地方课程文本教材的编写等。这导致了地方在课程改革中任务的偏失，因此，有必要从理论和实践两个层面对其进行深入探讨。

1. 地方课程管理与地方课程开发的辨析

地方课程管理是一个管理的概念，即地方对基础教育课程的全面管理。其含义是：其一，地方课程管理是国家、地方、学校三级课程管理中的一个重要组成部分、重要环节。地方课程管理的加强，是我国基础教育课程管理政策的一个重大变革。其二，国家赋予地方更多的权力，提升了地方的地位。地方对课程的管理不仅仅是忠实地执行，还要在职责范围内进行创造性管理。地方再也不是简单的承上启下的“中介”抑或“中转站”，而成为实实在在的管理主体、创造主体。其三，地方课程管理廓清了课程管理的范围，既包括对国家课程实施的管理以及对学校课程开发的指导，也包括对地方课程开发的规划和组织开发。

地方课程开发，则是对一种课程形态进行开发的概念。构建我国基础教育课程体系，不仅要实行国家、地方、学校三级课程管理，而且要建立和完善三类课程形态，即国家课程、地方课程和学校课程。《课程纲要》中明确提出了：“学校在执行国家课程和地方课程的同时……开发或选用适合本校的课程。”“……学校有权力和责任反映在实施国家课程和地方课程中所遇到的问题。”尽管以往已有乡土历史、乡土地理等，但这些还不是严格意义和完全意义上的地方课程。因此，地方课程的开发是课程改革的一个重要内容和亮点。

2. 对地方课程管理和地方课程开发的把握

地方课程管理和地方课程开发的协调是确保地方课程改革任务全面完成的条件，为此，地方在地方课程管理和地方课程开发上应把握以下几个方面。

（1）加强对课程的管理是地方课程改革和建设的中心和重心，地方要确立主体意识、管理意识和重点意识，集中主要精力研究和部署国家课程的创造性实施、地方课程开发和学校课程的指导。要防止和克服把兴奋点和着力点只放在地方课程开发上，更不能以地方课程开发代替地方课程管理。事实上，地方课程管理全方位的加强，才能保证地方课程开发的地位、方向和质量，进而保证课程改革目标通过地方管理得以全面实现。

（2）地方要根据《课程纲要》的精神和地方经济、科技、社会发展的需要，以及地方教育和文化的传统，加强地方课程开发的调查研究，并形成规划，提出要求，作出总体安排，尤其要对开发利用的目的、课程内容、课程形态、实施途径和形式、课程资源建设、评价等问题有明确的指导意见和要求。

（3）要促进地方课程开发和地方课程管理的互动，地方课程开发要丰富地方课程管理的内涵，为地方课程的管理提供鲜活的经验；地方课程管理要整合国家课程、地方课程和学校课程，推进基础教育课程体系建设。

二、关于地方课程管理

1. 地方课程管理的前瞻预设

实行国家、地方、学校三级课程管理，明确地方在管理体制中的地位，赋予其更多的管理职权，这在理论、价值、条件方面是有许多前瞻预设的。这些预设，是对“地方”这一管理主体的实际考察，也是对其发展趋势的前瞻把握。

（1）地方课程管理理论预设。新一轮课程改革，加强地方管理，有以下理论预设作逻辑支撑。一是分权管理带来文化形式多样性，必定促进课程的发展。集权管理“只有从保证一致性的结果意义上来说是有效的，但它不会有什么进步”。分权管理的本质是有交流的自由、实验的主动和制度的灵活。二是教育发展的趋势是推动个别化教学，管理体制应推动这一趋势的发展和实现，如果忽略了这一事实，则会导致管理体制的形式主义和僵化。调动地方等各方面的积极性，正是对管理新精神的追求。三是国家、地方、学校之间应建立伙伴关系。只有地方决定自己的事情不受到干预，体制才会充满张力和活力。

（2）地方课程管理的价值预设。地方一旦被赋予更多权力，就会从实际出发，改进自己，提升自己。这一基本价值预设，会唤醒地方的主体意识，带来的是地方的主动性、积极性和创造性，导引出课程管理改革的途径和方式，促成管理理念和行动从“忠实执行”向“研究创造”的转变，打破“大一统”的僵化局面，构建生动活泼的创新管理模式，增强课程中地方、学校和学生的适应性，形成课程的地方特色。中央应对地方充满信任，同时又在信任中引导。

（3）地方课程管理的潜力预设。地方积累了丰富的管理经验，具有巨大的潜在管理能量和智慧。但长期以来，由于体制的束缚，潜能的“沉睡度”在加深，创造性受到遏制，习惯势力及惰性时时在泯灭创新的激情和智慧。体制的改革，必定释放地方管理的创新精神。地方尽管在不少方面需改进和提高，但课程改革已给地方注入了新的理念和动力，在管理的实践中，地方会越来越成熟。

2. 地方课程管理的权力边界

新一轮课程改革中的权力分享，必然带来权力边界的研究和划分。关于地方课程管理中的权力边界，笔者以为有三个基本点。

（1）对省、市、县三级课程管理的职权作出明确的规定，在坚持以省为主的同时，省一级教育行政部门要给市和县留下选择、调整、发展的空间，有的甚至应让地方自主安排，以防止在打破国家“大一统”后形成地方的“大一统”。把坚持省的统筹和调动地方积极性结合起来。这主要表现在省的课程实施计划、地方课程规划、课程开发，以及教材的审定和选用等方面，省与市、市与县的权力边界要清晰明确。

（2）省一级教育行政部门要加强督察与指导。权力下放的过程是一个逐步到位的过程，应该既积极又慎重，既尊重、信任又不放弃检查和指导。

（3）权力是一种力量，对于权力的制约和监督，不仅靠道德精神的力量，还必须有相应的制度设计和安排。所以，地方课程管理中的制度建设是一个重要课题。

3. 地方课程管理的最高形态——服务

管理不是统治，而是治理。最好的政府最少管理，最好的政府提供最好的服务。和国际现代管理改革趋势相适应，地方课程管理的最高形态是服务，即为各级地方服务，为学校服务，为教师服务。

服务表现在对地方和学校的指导和帮助上：指导、推动教育思想转变，确立素质教育思想，提升教育理念和课程理念；指导、帮助地方和学校制定课程发展和实施规划，促进国家课程、地方课程和校本课程的融通和整合，指导学校课程的设计和选择；指导、帮助地方和学校开发、利用课程资源，统筹和组织社区、家庭及社会的各方力量，优化资源，分享资源；制定考试评价改革的政策或规定，指导和支持建立新的考试评价制度和方法。服务表现在为地方和学校提供理论和技术的支撑上：介绍先进的教育理论和课程理论，并与课程改革的实践相结合，指导开展校本行动研究；用理论观照实践，并对学校改革实践进行总结、概括和提炼；提供课程设计、教学设计和学校设计技术以及质量文化的监控、测量、评价的技术；提供信息技术；等等。服务表现在为地方和学校提供经费和物质帮助上，努力按课程的要求改善教育教学设施设备。

管理是一种服务，要求管理部门和管理者深入实践，深入第一线，增强现场意识，增强在场意识，进行“田野管理”和“田野研究”。实践是最鲜活的，学校和教师是最富于创造力的，管理者应和校长、教师在一起。在调查中、在研究中、在总结经验中、在现场的协商和对话中，管理闪烁着服务的色彩。这样的管理者最具亲和力，这样的管理制度最具活力。

4. 地方课程管理的最高境界——鼓励创新

任何管理制度都有缺点和负作用。一方面，制度是实现自由、形成秩序的工具和途径，但另一方面又是独立于个人意志的非人格化机制，它比任何个人存在的历史更长久，比任何个人的力量都更强大，是任何个人都难于支配和控制的前提性结构。在这样一种机械性的装置面前，个人的一切欲望、情感、人性、精神关切、内心世界等等，都被抹平了，或者被搁置起来了，人甚至成为制度这部大机器的零件或原材料，没有人性和个性，没有内心生活和感情。地方对课程的管理，就要尽最大努力克服管理制度的这一缺点，最大限度地消解其负作用，让课程的管理制度更加人性化，成为地方、学校和教师实现自由、追求创新的保证——这是课程管理的最高境界。

鼓励地方、学校和教师创新，地方在课程管理上有几个基本理念和措施：尊重并充分调动地（市）、县（市、区）改革的积极性和创造性；给地方和学校以合理的、充分的自主权；从实际出发，实行分类指导，坚持因地制宜、因校制宜的原则；支持改革的新举措，总结改革的经验，激发创新的主动性；鼓励创新，要研究和构建新的课程模式和教学模式，提倡不同的教学风格，形成不同的教学流派；要构建新的教学管理制度，把规范管理、严格要求和营造宽松的氛围结合起来；要构建以校为本的研究制度，把学校建成研究性学习型组织；要构建新的督导和评价制度，着眼于学校的发展和教师的创造。总之，要通过管理改革，在秩序和自由之间，在规范和创新之间保持张力，让秩序、规范为创新服务。

5. 地方课程管理的最大挑战——能力与职权的匹配

权利总是与责任相伴随的，权利必须有相应的能力相匹配。课程管理政策改革以后，地方的最大挑战是如何不断提高自己的能力。因为能力与权利的失衡将会极大地影响地方课程改革与建设的进程，甚至会发生不必要的失误。要提高统筹、协调、组织能力，形成新的管理机制，实行自上而下、自下而上双向互动的管理模式；提高研究能力，对课程的基本问题有理性的思考，有理论的支撑，避免经验主义和形式主义；提高开发能力，开发和优化课程资源，设计课程，设计教学活动；提高评价能力，对丰富多彩的教育现象、课程实施行为作出准确的判断和科学的分析。

三、关于地方课程开发

1986 年开始酝酿的第七次基础教育课程改革，对地方管理的课程的权限作了探讨，并终于在 1992 年颁发的《九年义务教育全日制小学、初级中学课程计划（试行）》中，第一次把课程分为“国家规定课程”和“地方安排课程”。“地方安排课程”就是“地方课程”的萌芽。新一轮课程改革，在课程管理政策的改革上迈出了更大的步伐，明确提出“地方课程”，并规定其与综合实践活动、校本课程三者合计占义务教育总课时的

16% ～ 20%，同时规定，省级教育行政部门负责“规划地方课程”。地方如何规划好地方课程、如何开发并实施好地方课程，是一个有待深入研究和试验的课题。

1. 地方课程的性质

究竟什么是地方课程？目前很难下一个判断式的定义，笔者甚至以为目前还不宜给其一个十分准确的定义，因为“地方课程”还处在萌发或初级阶段，让其保留一定的“未完成性”和“非特定化”，对其不作具体限定，那就在一定程度上留下了较大的完善和创造的空间。尽管如此，我们还得从一个特定的角度对地方课程的本质作一下规定，这个特定的角度就是课程开发的主体。国家课程显然是国家规定的，校本课程显然是学校独立开发或选用的，那么，地方课程的开发主体当然是地方。这似乎是一个再简单不过的毫无讨论意义的问题，但这恰恰点击了地方课程的本质，即是由地方根据国家课程管理政策和国家课程计划独立开发并在本地实施。这一表述包含了丰富的内涵，凡是由地方独立开发的，不管是何种内容、何种形态、何种特点都应属于地方课程的范畴。这一表述排除了不必要的争议，地方课程开发当然应以地方的历史、文化、经济、社会、自然、环境等方面为资源基础，但不局限于某一地域范围和地方特点，只要是“地方”去开发的都可以为“地方课程”所用。所以“地方性”不要局限在区域性上，地方课程应体现开放性和时代性。这一表述给了地方课程很大的开发余地，适应了各地经济、科技、社会发展的不同需求，在内容的选择、形态的确定、实施途径的规定和资源的开发上给地方以“解放”。这样，就更能增强课程的地方适应性，进而形成课程的地方特色。

2. 地方课程的地位

关于地方课程的地位问题，长期以来教育界对此多有争议，如：地方课程是不是国家课程的补充？在改革和建设的重点上，是否应先保证国家课程的实施，再搞地方课程开发？地方课程在我国基础教育课程体系上究竟处于什么样的地位？……要解答这些问题，我们应关注《课程纲要》

的表述:“省级教育行政部门……制订本省(自治区、直辖市)实施国家课程的计划,规划地方课程”,“学校在执行国家课程和地方课程的同时,应……开发或选用适合本校的课程”。笔者领会的是:在课程体系中,国家课程、地方课程、校本课程都具有十分重要的地位,各具独特的功能,相互渗透、相互支撑,不应人为地把这些课程分为主次、从属、先后等层次。课程的地位不应以课时的多少来确定,而应由所承担的任务和功能,尤其是对课程培养目标的实现所承担的任务来确定。地方课程尽管其课时有限,但其作用不可低估。地方课程不能简单地作为国家课程的补充,而是为国家课程服务的。

3. 地方课程开发的着重点

地方课程开发的内容丰富、宽泛,科学的、人文的,政治的、经济的,社会的、自然的,现代的、传统的,等等诸多学科,均在开发之列。但是,地方课程开发应服从于地方课程的性质、功能和任务,开发应有一条准则,即从地方的实际出发,为地方经济、社会发展服务。“从地方实际出发”有以下基本含义。

(1)从地方的文化传统出发。通过对民间、民族文化传统的梳理,弘扬优秀文化传统,指导学生积淀文化底蕴,培育学生的乡情和民族精神。

(2)从地方经济、社会发展的需要出发。要体现时代性和前瞻性,培养学生的现代理念和创新精神、实践能力。

(3)从地方自然环境和生态发展的特点出发。关注人、社会、自然的整体和谐发展,以积极、健康、向上的精神生活态势去改变人的生存境遇。从地方实际出发,不仅从现状出发,更重要的是从未来发展需要出发。地方课程不仅用来回眸历史,更要展望未来,着眼于全面小康社会建设和现代化建设。地方课程不仅要关注本地,更要瞭望整个世界,着眼于全球化背景下地方的发展及课程资源的广泛利用。从地方实际出发,当前尤其要关注农村,结合现代农村经济和社会发展需求,把现代农业技术、经营、管理等内容纳入地方课程内容,发挥课程在传播科学文化知识、推广农业科技成果、促进社会主义精神文明建设中的积极作用。

地方课程的视野是开阔的，内容是开放的，不求知识的覆盖面，注重更大区域共同问题的整合，以拓宽学生的胸襟和视界。抓住重点，不仅因为地方课程的课时毕竟有限，更为重要的是突出了重点，才有可能把握方向，整合研究力量，提高开发质量，形成课程的地方特色。

4. 地方课程开发与国家课程实施

国家课程体现了国家意志和国家对学生发展的基本要求，应当十分重视国家课程的实施。但是，地方课程与国家课程不存在谁主谁次、谁服从谁、谁为谁服务的问题，它们共同服从于课程培养目标，共同对课程改革目标负责，共同为促进学生发展服务。地方课程是相对独立的，但又和国家课程紧紧联系在一起，地方课程开发必须和国家课程相整合。其整合的方式和特点如下。第一，国家课程的实施结合地方的实际。且不谈德育类、艺术类、体育类课程要和当地的文化结合，即便是语文、数学、科学等课程，资源的开发、实施途径的利用等都要渗透、融合地方的内容，体现地方的特点。这样国家课程实施更具地方性、情境性和实践性。第二，国家制定的一些课程标准和纲要、指南明确规定了留有地方补充的空间，比如在地理课程标准的“内容标准”部分，明确规定：“乡土地理教材的编写应纳入地方课程开发的计划中，并切实加以落实。”当然补充的理想形态仍然是渗透的、融合的。第三，综合实践活动是国家课程，我们不妨将综合实践活动的板块作这样的理解和处理：信息技术教育更多地由国家和地方来组织，研究性学习、社会实践和社区服务，更多地由学校来设计和组织，而劳动技术则更多地由地方来设计和组织。以上与国家课程整合的第二、三种情况，应是地方课程的另一类开发。

5. 地方课程的形态

地方课程应更具选择性。选择性不仅体现在内容上，也应体现在课程形态上。地方课程主要是选修课，也可以是必修课。这是因为地方课程更要关注地方和学生的差异性，关注地方发展多样化的要求，为学生提供更多的选择机会。地方课程主要是综合课程，也可以是分科课程。这是因为地方课程不追求知识的自成体系，而更注重知识面的拓宽，更注重与地方政治、经济、社会、自然发展需要的整合，指导学生用整体的视野去观察社区、观察更大的区域以至世界。地方课程更注重课程的实践性、活动性和探究性，这是因为地方课程要引导学生在实践和活动中，关心家乡，研究家乡，建设家乡。

CURRICULUM

地方课程的开发与建设

长期以来，在我国中小学课程体系和结构中，只有国家课程，而无地方课程，实行的是集权管理。随着教育体制改革和课程改革的深入，课程管理政策的改革逐步提上议事日程并有所突破。1986年开始的第七次基础教育课程改革，对课程管理的权限作了初步研究和改革，并在1992年颁发的《九年义务教育全日制小学、初级中学课程方案（试行）》中，第一次把课程分为“国家规定课程”和“地方安排课程”，并对“地方安排课程”的课时、内容和实施要求作了原则性规定。“地方安排课程”可以被视作“地方课程”的萌芽，它为课程结构的改革作了前期探索。新一轮课程改革明确提出国家课程、地方课程和校本课程，并规定地方课程与综合实践活动、校本课程的课时占义务教育总课时的16%～20%。地方课程的确立，不仅完善了我国中小学课程体系和结构，而且推进了课程管理政策的改革。地方如何规划、开发和建设地方课程，是一个有待深入研究和认真把握的问题。

一、何为地方课程

《课程纲要》没有明确地界定地方课程。但按一般的理解，国家课程是指由国家规定的课程，校本课程是由学校独立开发或选用的课程，而地方课程则是由地方规划、开发和安排的课程。换言之，判断国家课程、地方课程和校本课程的主要依据是课程规划、开发和安排的主体。由此，我们将地方课程定义为：根据培养目标和国家关于课程的改革规定，依据本地实际情况，由地方独立规划、开发和安排的课程。

1. 如何理解“地方”

第一，地方是相对于中央而言的。省、市、县、乡均为地方，均对地方课程的建设享有一定的权利，并承担一定的责任。

第二，规划权集中于省级教育行政部门，即地方课程的规划由省级教育行政部门负责，《课程纲要》对此已作了明确的规定。规划权集中于省级教育行政部门，既可以保证地方课程的规划更有宏观的视野，课程结构更加合理，也有利于进行统筹和协调。省级教育行政部门负责规划，也意味着其要负责地方课程及其有关资源的审查、开发行为的规范和课程实施的管理。

第三，开发权由各地分享，即地方课程的开发由各地负责。市、县、乡级教育行政部门要做好开发的组织和协调工作，其中包括根据省的规划和本地的实际，对地方课程内容提出具体要求。需要注意的是，除了行政部门不得参与开发外，具备条件的单位、团体和个人均可以根据省的规划和规定的程序、要求开发地方课程。

第四，地方课程的实施由各有关学校负责。从某种意义上说，在学校里实施的课程均会被加以校本化的改造。地方课程只是由地方设置和开发，在不同的学校它会呈现不同的特点，同时也必将与国家课程、校本课程相整合而成为学校课程。

第五，地方课程的实施管理，由省、市、县和学校从各自的职责出发，共同负责。

综上所述，地方课程的“地方”二字内涵丰富，地方课程的管理是分层次的。

2. 如何理解“地方特色”

地方课程当然具有鲜明的地方特色。可以说，地方特色是地方课程的基本属性和最重要的特点，甚至是地方课程的生命力之所在。地方课程的地方特色集中表现在课程内容上，即要以地方的历史、文化、经济、社会、科技、自然、环境等为资源基础，充分反映地方的特点及地方经济发展、科技发展、社会进步的要求。值得注意的是，不能把“地方特色”等同于“地方性”“区域性”。“地方特色”不是一个封闭、狭隘的概念。第一，从地方课程开发的主体考虑，无论是本地资源，还是外地（外省的、国外的）资源，凡是由地方开发的，都可以作为地方课程内容。第二，在当代社会，“地方”是一个开放的系统，它不仅关注历史，还要面向未来；不仅关注本地，还要面向世界。只有这样，“地方”才能不断发展和日益繁荣。也正因为此，地方课程的“地方特色”不仅要反映“本地”的过去和现在，还要体现“本地”的开放性和未来发展的走势。第三，“地方特色”应在个性中反映和体现共性。有些反映“地方特色”的内容，其实具有普遍适应性，如南京的雨花台烈士陵园、南京长江大桥、昆山的昆剧和周庄等，它们既是地方的，又是民族的、国家的。因此，地方课程的“地方特色”应当具有超越性。这种超越性，不仅不会湮灭地方的个性，而且会使其更具普遍意义，可以帮助学生透过地方关注全国，关注世界和人类。而学生视野的拓宽，又有助于他们热爱家乡、建设家乡情感的培养。

3. 如何理解地方课程开发与地方课程管理

地方课程开发与地方课程管理是两个不同的概念，它们从不同的侧面规约地方在课程改革中的任务。二者的关系，我们可以作如下描述：地方课程管理包括对地方课程开发的管理，地方课程开发应服从于地方课程管理的要求和安排，二者相结合才能确保地方课程改革任务的全面完成。值得注意的是：（1）地方对课程的管理，是地方课程改革和建设的中心和重心。地方要确立主体意识，集中主要精力研究和部署国家课程的创造性实施、地方课程的开发和学校课程的指导。要防止和克服把兴奋点和着力点只放在地方课程开发上的弊端。事实上，只有加强地方课程管理，才能保证地方课程的地位、方向和质量。（2）要促进地方课程开发与地方课程管理的互动。地方课程开发要丰富和发展地方课程的内涵，为地方课程管理提供具体而鲜活的经验；地方课程管理要对地方课程开发提出明确要求，通过地方课程与国家课程的整合，推进地方基础教育课程体系的建设。

二、地方课程何为

要讨论地方课程何为，首先要思考课程何为。杜威说，当我们为学生设计和提供一种什么样教育的时候，就是为学生设计和提供了一种什么样的生活。教育离不开课程，课程与教育相伴而生，共同成长。因此，杜威的话实际在提醒我们，我们为学生设计、提供什么样的课程，就是为学生设计、提供什么样的教育，进而为学生设计、提供什么样的生活。课程何为？课程影响、改变着人的生活。在某种程度上，课程结构影响甚至决定人的素质结构，课程水平影响甚至决定人的素质水平。课程好比凸透镜，它梳理和筛选人类的文明和文化成果，使之聚焦，从而把最稳定、最基础和最有价值的知识传承给学生；课程好比一座桥，桥的一头搭建在校园，另一头通向社会，而学生正是通过这座桥梁，最终走向社会，为社会作贡献。总之，课程是培养目标的具体化，它影响着培养目标的实现，影响着学生的发展方向和发展水平。

地方课程不仅具有课程的一般功能，而且具有特殊的价值，这集中体现在以下三个方面：

1. 地方课程的地位

《课程纲要》关于地方课程有这样的表述："省级教育行政部门……制订本省（自治区、直辖市）实施国家课程的计划，规划地方课程"，"学校在执行国家课程和地方课程的同时，应……开发或选用适合本校的课程"。《课程纲要》之所以没有表述"在执行国家课程和地方课程的基础上"，而说"同时"，我们的体会是，在课程体系中，国家课程、地方课程和校本课程都具有十分重要的地位，各具独特的功能，它们相互渗透、相互支撑，因此不应人为地把这些课程分主次、从属和先后，课程的地位也不应以课时的多少来确定，而应由所承担的任务和功能，尤其是为实现培养目标所承担的任务来确定。地方课程尽管课时有限，但作用非常重要，因此，不能简单地视为国家课程的补充或延伸、深化。研究地方课程开发也首先要研究地方课程在课程体系中的独立地位及其特殊功能。

2. 地方课程开发的意义

意义之一，地方课程开发可以增强课程的地方适应性。偌大一个中国，长期以来，只有一种课程，即国家课程。事实已告诉我们，一种课程难以适应各地的差异性。这种差异，不仅表现在社会、经济水平及发展需求上，而且表现在地理、自然、环境的不同状况上，也表现在不同的教育基础和教育水平上。“大一统”的课程难以适应各地的具体情况和发展需求，难以实现课程、教育促进地方发展的功能。而开发地方课程、增加课程的多样性必将在增强课程地方适应的同时促进地方发展。

意义之二，地方课程开发可以促进地方课程特色乃至教育特色的形成。我国各地的教育缺乏特色，除了理念和体制上的原因，课程的高度统一是重要的影响因素。千人一面、千校一样，是与所有学校学同样的课程、所有学生读同样的书分不开的。课程特色关乎教育特色，而教育特色要从课程特色中萌发和生成。

意义之三，地方课程开发可以促进地方经济、科技的发展和社会的进步。国家课程为人的素质的全面发展和民族素质的提高奠定基础，而地方课程则可在为地方培养人才、促进经济和社会发展方面发挥更大的作用。从某种意义上说，增强课程的地方适应性和形成课程的地方特色，是为地方发展服务的。当然，这种服务是潜在的、渗透式的和长远的。

3. 地方课程开发的宗旨

新一轮基础教育课程改革的基本理念是为了每一个学生的发展。以学生发展为本，也是地方课程开发必须坚持的基本理念。为此，必须处理好三个关系：一是促进学生发展与增强课程地方适应性的关系。增强课程地方适应性，最终要落实在增强学生的适应性上。适应不同地区学生发展的需要，不仅是课程地方适应性的真正内涵，而且是增强课程地方适应性的要旨所在。二是促进学生发展与形成课程地方特色的关系。形成课程的地方特色只是一种手段和途径，不是目的。

如果把地方课程开发的宗旨停留在形成特色上，就会走向技术主义，为特色而特色。形成课程的地方特色，目的是让学生更好地发展，形成具有个性特点的兴趣、爱好和特长。三是促进学生发展与为地方发展服务的关系。从课程内容上看，地方课程紧密结合了地方经济、科技和社会的发展。但是，从长远看，学习这些内容，更重要的是培养学生热爱家乡的情感、建设家乡的信心和真才实学。只有促进学生素质的真正提高，地方课程为地方发展服务才是可能的、有效的。

三、如何开发地方课程

设置地方课程是我国课程管理政策的重大改革，它对地方的课程管理能力、课程开发能力和课程研究能力都提出了极高的要求。地方课程的开发与建设需要地方进行整体思考和系统安排。

1. 做好地方课程建设规划

地方课程不是一门课程，而是课程体系。这就需要地方作好课程建设规划，对地方课程的开发和建设进行整体设计，提出总体要求，作出制度安排。制订规划，一要根据《课程纲要》的精神，体现其要求；二要从地方的实际状况和发展需求出发，体现地方特点；三要关注国家课程、地方课程与校本课程的统筹、协调，实现课程的有机整合。规划应包括开发的目的与原则、内容与形态、实施途径与方法、考试与评价、开发的权限与管理等内容；既要有开发的原则，又要有开发政策的规定。

2. 确定课程内容

地方课程的开发应坚持一条准则，即“从地方实际出发”。“从地方实际出发”的基本含义包括：（1）从地方的文化传统出发。通过对地方、民间、民族文化传统的梳理和选择，帮助学生积淀文化传统，培育民族精神，培养热爱家乡的情感。（2）从地方经济、社会发展的需求出发，内容体现时代性和前瞻性，培养学生的现代理念、创新精神和实践能力。（3）从地方自然环境和生态发展的特点出发，关注人与自然、社会的整体和谐发展，以积极、健康、向上的精神状态去改造人的生存环境。（4）从地方实际出发，尤其要关注农村，结合现代农村经济和社会发展需求，把现代农业技术、经营、管理等纳入地方课程内容，发挥课程在传播科学文化知识、推广农业科技成果、促进社会主义精神文明建设中的积极作用。

必须指出的是，地方课程不应强求在内容和课程门类上与国家课程相对应和衔接，不必追求知识的覆盖面，而要注重整合更大区域内的共同问题，以拓宽学生的胸襟和视野。

3. 把握课程形态

地方课程更应具有选择性、综合性和实践性，这不仅体现在课程内容上，还应体现在课程形态上。（1）地方课程可以是必修课，也可以是选修课，但主要是选修课。这是因为地方课程更关注地方和学生的特殊性，关注地方发展的多样化需求，为学生提供更多的选择机会。（2）地方课程可以是分科课程，也可以是综合课程，但主要是综合课程。这是因为地方课程不求知识的体系化，更注重拓宽学生的知识面，注重整合地方政治、经济、社会和自然发展的各种需要，指导学生用整体思维去认识和把握“地方地图”和“世界地图”。（3）地方课程更注重实践性、活动性和探究性，这是因为地方课程要引导学生在实践和活动中关注家乡，研究家乡，建设家乡。

4. 开发课程资源

地方课程的资源应以地方资源为主，但也要从地方实际出发，开发地区之外的资源，建设地方课程资源的开放系统。地方要加强地区间、社区间、学校间资源的整合，作好制度安排，进而建立资源中心或资源库，以实现课程资源的共享；要对自然状态的资源进行加工和改造，使之具备课程意义和教育意义；要组织和协调社会各方面力量进行资源建设；既要避免把教材作为单一的资源形态，又要规范文本资源的管理。

5. 明确实施途径和方式

要多途径、多方式地实施地方课程，力戒把课堂教学作为主要的实施途径。提倡实习、实践、演示、观察、研究、讨论等多种方式，努力建立具有地方特色课程的实施体系。

6. 改革评价和考试

地方课程需要考核，但应是考查与考试相结合，注重过程评价、成果评价，注重学生在学习过程中的方法、态度、情感、价值观以及创新精神和实践能力的发展。

为学校服务：地方对学校课程管理的本质

CURRICULUM

基础教育课程改革正在改变着各种关系。关系的改变和重构，必然促进教育和课程的发展与创新。从课程管理方面看，课程改革正推动着地方和学校关系的调整。这种调整，必将使地方和学校的关系更加协调、和谐，更加充满活力和创造力。

在课程领域，地方和学校的关系，集中表现在地方对学校课程的管理上。课程管理政策的调整，地方和学校的关系到底发生了什么变化？地方对学校课程的管理从内容到方式，应作怎样的调整？这是值得关注和需要深入研究的问题。

一、服务与支持：地方在基础教育课程管理中的角色定位

1. 地方课程的根本意义在于管理

问题可以从现状说起。如果说，国家级的课改实验区还没有从根本上关注并触及地方与学校课程管理关系的话，那么，随着省一级课改实验的启动，以及新课程在更大范围内的实施，地方与学校课程管理的关系将日益明显，越发突出。从当前来看，问题集中表现在两个方面：一方面，地方课程与校本课程的课时比例如何划分。有些地方认为，国家、地方、学

校三级课程的地位应呈递减（递弱）的趋势，即地方课程较之于校本课程“更重要”，因而，理所当然地要占有更多的课时。另一方面，地方在确定课程后，往往实行“统一制”，所有学校开设统一的地方课程，使用统一编制的教材，无形中地方课程成了地方上的“国家课程”，形成了新的“小一统”，导致了“地方霸权”。

在课程管理上，搞地方课程独占一方的“小一统”的认识和做法是不符合基础教育课程改革精神的。其一，实行国家、地方、学校三级课程管理，是一种管理政策，更具管理的意义，而非完全课程形态的规定。三级课程管理的实质在于：从宏观上优化课程结构，充分调动各级、各方面的积极性，充分开发利用课程资源，充分发挥课程的育人功能。其二，即使是课程形态，国家课程、地方课程、校本课程在宏观课程结构上应有一定比例和侧重（或价值取向）。那种以为地方课程比校本课程更重要的认识和做法，无论是理论上还是实践上都是片面的。其三，地方课程的实施应该加强或突出对课程的管理。地方在推进课程改革和管理课程中，其着眼点和着力点，不仅在开发地方课程上，更应放在地方对国家课程的有效实施和对校本课程的合理开发指导上。

2. 学校课程是课程体系中具有重要实质意义的环节

学校课程不仅仅是整个基础教育课程的一个重要组成部分，而且是整个基础教育的汇集之地，学校是整个课程的集中地，无论是国家课程，还是地方课程，都要在学校里实施和开发，都可视为学校的课程；学校课程是整个课程的搅拌机，所有课程都要在学校里进行校本化的整合；学校课程是整个课程的开发中心，所有课程都要在学校里进行再次开发和深度开发。因此，在整个基础教育课程体系链条中，学校及其课程是具有具体实质意义的环节，是课程改革、课程管理的中心。学校课程的实施状况、开发水平、评价质量都涉及整个课程改革的进展和成效。也正因为如此，基础教育课程改革的发展趋势，是更加关注和加强学校的课程改革，让其获得更充分的课程权力。地方应该敏锐地看到这一趋势，把握这一趋势。

3. 地方对学校课程管理的本质在于服务

国外新的管理理论认为，政府的管理理念经历了三个不同的发展阶段：“最好的政府，最少管理”；“最好的政府，最大服务”；“最好的政府，用市场机制与非政府组织合作等方式提供最大的公共服务”。政府的管理是“治理”，而不是“统治”，要从“统治”走向“治理”。而治理的本质是“服务”，最好的政府，表现在最大和最好的“服务”上。借鉴这一国外新的管理理论，观照新一轮课程改革，考察地方对学校课程管理的本质，不难得出这样的结论：地方对学校课程管理的本质是服务，为学校的课程发展服务。通过为学校服务，真正落实课程改革的管理政策，充分地发挥课程的育人功能，全面提高素质教育的水平。

地方为学校课程发展服务这一本质特点，决定了地方在课程管理中的角色定位，即：扛起“两头”，承上启下；服务“两头”，承前启后。所谓“两头”，一头是国家课程，一头是学校课程。扛起两头，就是通过地方的管理，保证国家课程在学校有效和高质量地实施及开发，而“承上启下”，绝非传统意义上的简单传递和联络，而是让“两头”紧密结合，贯通为一体。服务两头，就是为学校实施国家课程、开发校本课程，提供各种扶持、指导等服务，而承前启后是指，既贯彻落实上级指示，提高课程政策的执行水平，树立先进科学的课程理念，又面向未来，开发学校潜能，鼓励创造，促进发展。

从这一定位出发，地方对学校课程的管理，在于规范和解放。地方管理学校课程，必须有规范，实行规范化管理，没有规范不能保证学校课程的有序运作。但是，规范只是管理的一条准则，而不是唯一的准则，更不是最高准则。管理的最高准则是解放，即鼓励学校从实际出发，大胆探索和创新，鼓励学校用自己的方式去寻求课程改革的思路，去建设学校课程，去创造课程改革的理想境界。规范和解放正是地方对学校课程管理在指导思想上的准确定位。

二、过程和质量：地方对学校课程管理重点的把握

地方对学校课程进行管理应该有所为有所不为，抓住重点，放开其他，管得合理，管得有效。笔者以为，其重点在于过程和质量的管理，提高学校实施和开发课程的水平，促进学校质量文化的建设。

1. 重在课程理念的引导，而不是课程形态的具体规定

教育思想的端正、教育理念的更新是这次课程改革的关键。课程理念是课程改革、教学过程中一只“无形的手”，这只无形的手控制、指挥着管理者和教师的行为。观念更新了，理念提升了，一切都可能是新课程，一切都可能是素质教育。地方对学校课程的管理，必须抓住这一关键，充分发现并使用好这只“手”，重在理念的引导。只有在理念的引导上有所为，课改才能真正有进展、有突破。

观念的转变，理念的提升，应贯穿在课改的全过程。目前的问题，一是理念与课改实践尚处于游离状态，课改应从哪里出发，究竟是以知识为本，还是以学生发展为本，并没有从思想上真正彻底搞清楚；二是理念的飘浮，以学生发展为本，还没有在课程实施中得以落实。地方要通过培训、案例分析、典型树立、科学评价等，引导学校和教师进行课程理念的大变革。如果地方把精力集中在给学校设置具体的统一的地方课程、编写统一的教材上，则可能舍本逐末，管理会发生偏差。

2. 重在对课程实施和开发过程的引导，而不只是对实施和开发结果的测评与验收

从某种意义上讲，过程比结果更重要。地方对学校课程的管理，重在实施和开发过程的引导，首先，体现了新课程的理念和特点。课程再也不仅仅是目标的达成，更重要的是学生在教师引领下，不断探求新知的过程；课程再也不仅仅是完全预设的，更重要的是不断生成的过程；课程实施再也不仅仅是忠实执行的过程，更重要的是再度开发和创造的过程。地方的管理把重点放在引导学校实施和开发的过程上，有利于学校体验新课程理念的真切性，有利于把课程建设成充满潜力、充满智慧、

充满创造的过程。

其次，体现了课程管理的新理念和要求。国外社会管理学研究认为，社会管理是一种上下互动的过程，这一过程中无论是管理的权力中心，还是管理的内容都是多元的；同时，有效的管理是两者合作的过程。因此，现代的管理，要关注事物的发展过程，在发展过程中提供服务。地方对学校课程的管理，如果重在对课程实施和开发结果的测评与验收，则可能导致管理的简单化、形式化，掩盖过程的真实性和体验性，淡化过程的丰富性和发展性，最终导致对课程的“统治”。

再次，值得注意的是，长期以来，地方对学校课程的管理一直比较注重对课程实施和开发结果的检查与评价，已成一种巨大的历史惯性，其结果是把学校的主要精力引向目标、结果，引向考试、测验，引向验收、评比。重在过程，必定推动地方管理理念的改变和方式的变革，也必定促进地方在深化学校课程管理的过程中打造良好的管理作风，提高管理能力。

3. 重在学校质量文化的建设，而不仅是知识的传授和技能的训练

课程的实施、开发是文化的构建和发展的过程。课程实施的质量，从本质上讲是一种质量文化。学校质量文化的建设是一项基础性的工作。质量文化的实质，是从文化的视角关注和追求课程的质量，进而探寻课程发展、学校发展的文化动因，提高课程和学校的文化品位。

质量文化的内涵十分丰富，主要包括：“崇尚一流，追求卓越”的校园精神和创业者的价值观念；团结和谐的人际氛围；不断开拓、探索、创造的学术环境（以上引自陈玉琨《IS0 9000，中小学不宜》）。此外，笔者以为，质量文化还应包括课程功能的实现水平，即知识与技能、过程与方法、态度情感与价值观等，在学生文化知识的学习、素质结构形成、人格发展中所呈现出的状态和产生的影响。现在的问题是，在新课程改革的形势下，地方和学校仍然只关注和追求知识与技能这种质量，仍然把质量局限在分数和升学上。地方对学校课程的管理，在管理的目的、重点上都应转向质量文化，通过对质量文化的探讨和追求，构建新的质量观、评价观；在学生的发展上，为学生的可持续发展积淀文化、提供素质的基座；

同时，在地方对学校课程的管理上，体现文化的动因、文化的功力以及文化的品位，真正转变管理观。

4. 重在加强课程资源的开发与统筹，而不仅仅是教材的编写和选用

地方对学校课程的管理，当然包括对教材的管理。但是，有些地方以为，对学校课程的管理就是对教材的管理；而对教材的管理就是编写教材、要求统一使用教材。这是认识上的误区。教材只是课程的一种载体，一种课程资源形态，而不是唯一的；教材的形态也是多样的，教科书只是一种形态，地方课程和校本课程的教材不能课本化；地方课程应具有地本的特点，在一定范围里选用，而校本课程具有校本特点，更不能强求其他学校使用。

地方对学校课程的管理应从教材编写的偏好中跳出来，把兴奋点和主要力量放在课程资源的开发和统筹上。课程资源的开发具有以下涵义：（1）通过实地调查、考察以及文献资料的查阅、信息的收集，去发现资源；（2）通过加工、改造和组合，使资源具有教育意义，成为课程资源；（3）给课程资源分类，并与有关课程的实施和开发相联系，为教育教学服务等等。

开发课程资源需要所有学校共同努力，地方为学校服务主要体现在对课程资源的统筹上：统筹开发力量，整合所开发的资源，指导学校使用，组织对课程资源开发和使用效果的评价。当前，地方要建立课程资源库（中心），实现资源的共享，以减少不必要的重复劳动，节省物力和财力，发挥地方在课程资源统筹上的作用。

三、精神力量和制度设计：地方对学校课程有效管理的追求

地方对学校课程管理的本质，决定着管理的重点，也决定着管理的精神和方式。

管理是一个系统，涉及面之广、问题之多，常使管理者行为艰难。管理要有效，管理者必须善于从错综复杂的管理系统中抓住矛盾的主要方面

（即管理精髓）。简言之，有效的管理，就是把握管理精髓的管理。那么，这种精髓具体是什么呢？一百多年前，美国总统成功地与古巴起义军将领加西亚联合，取得美西战争的胜利，有功之臣不是加西亚，而应是“给加西亚送信的人”——一位年轻的中尉罗文。罗文之所以成为传颂至今的英雄，在于他的敬业精神，对上级的托付，立即采取行动，全心全意去完成任务。“把信送给加西亚”，在一百多年后重提这一故事，无非是倡扬个人的精神力量，即敬业精神，一个人的敬业精神在当今显得尤为可贵。

但是，现代管理在倡扬个人精神力量的同时，需要量化的、科学化的、制度化的保证。我们所熟悉的、所一再倡扬过的，可能常常是一种模糊的精神力量。这种精神力量，如果没有用数字来描述的清晰而准确的目标，没有科学化、制度化作保障，是称不上管理的，更谈不上现代管理。科学化、制度化，以至量化，实际上也是一种力量，即“六西格玛力量”。从“把信送给加西亚”到“六西格玛力量”，揭示了现代管理的精髓。笔者以为，在讨论地方对学校课程的管理的时候，这是完全可以借鉴的。

1. 地方对学校课程的管理，需要一种精神

新一轮课改，是政府的一项重大决策，体现着国家对素质教育的要求；同时是一项科学研究和实验，体现着教育科学研究的精神。正因如此，新一轮课改，无论是理念和框架，还是结构和内容，都已与国际上最先进的课程改革站在同一平台上。但是，理想的课程要真正成为现实的课程，需要实施和管理。管理，既是一种行政手段，又是一种科学研究，需要管理者的敬业精神和科学精神。这些精神又具体地体现在管理者的精神面貌、工作作风和人格品质上，尤其需要认真的态度、勤奋的精神、严谨的作风以及对学校的人文关怀、具体的指导和服务。

2. 地方对学校课程的管理，需要制度设计和制度安排

著名学者阿尔蒙德说，在当代世界中，一项有效的国家建设战略，必须设法调解政治集权同分权、经济增长同分配之间的冲突，而协调上述冲突的根本途径，就是要提升政府在现代化制度上的设计能力。制度设计的提出，表明改革和发展正从以往的政策层面纵深到制度层面，从浅层次的

政策调整发展到深层次的制度安排，从政策创新走向制度创新。地方对学校课程的管理，究竟需要什么样的制度设计和安排？这需要深入研究。当前显得更为重要的是：课程改革问题的民主决策制度，新课程实验的制度，教材的选用制度，学术研讨制度，定期考核制度，学生评教制度等等。

3. 地方对学校课程的管理，要求方式的变革

地方不应随意地插足、干预学校课程的实施与开发。地方的管理者应掌好舵而不是划桨，应当好导演而不是做演员，犹如巡回在稻田田埂上的看水员，每块稻田都管着，但任何一块稻田的具体问题应该让种田者自己去解决。地方管理学校课程，给框架，留空间，让学校有自主支配的权利；给思路，给指导，不要包办代替；提供服务，提供帮助，鼓励创造。

4. 坚持实事求是，实行分类要求和指导

我国幅员辽阔，地区差异很大，地方对学校课程的管理，一定要坚持实事求是的精神，从各地不同的实际情况出发，因地制宜，分类要求和指导。依照义务教育实施的进展，把课程改革、课程权力的逐步下放、地方对学校课程管理的重点和方式与义务教育的普及程度、普及水平结合起来。课程管理政策的调整，让学校有更多的自主权，这一发展趋势是必然的，但这是一个逐步过渡的过程，既不能把学校的课程能力估计得过低，也不能估计得过高，一定要具体情况具体对待，不要搞新的一刀切。

地方课程的地位及意义

CURRICULUM

一、地方课程设置顺应时代要求

地方课程的设置与开发顺应了时代的发展要求，体现了鲜明的时代特点。

1985年，中共中央作出了关于教育体制改革的决定，实行分级办学、分级管理。次年，《义务教育法》颁发，正式实施义务教育，要求全面提高教学质量。为了执行《义务教育法》，就在当年，我国开始了第七次基础教育课程改革。其中，对课程管理的权限作了初步研究和改革，并在1992年颁布的《九年义务教育全日制小学、初级中学课程方案（试行）》中，第一次把课程分为“国家规定课程”和“地方安排课程”，并对“地方安排课程”的目的、内容、课时和实施要求作了规定。“地方安排课程”可视作我国基础教育领域“地方课程”的萌芽。1996年，全国第三次教育工作会议召开，中共中央、国务院作出了全面推进、深入实施素质教育的决定，明确提出课程改革是素质教育的核心内容和关键环节。为贯彻落实素质教育的任务，新一轮基础教育课程改革开始启动。新一轮课改的基本思想之一就是努力改变现有的课程管理政策，增强课程的弹性。根据这一指导思想，会议确定把改革课程管理政策作为课改的六大具体目标之一，其主要内容是实行国家、地方、学校三级课程管理。与此同时，明确设置地方课程，并规定地方课程与综合实践活动、校本课程的课时占义务教育总课时的16%～20%。就这样，地方课程正式走进了我国基础教育的课程体系。地方课程的设置和开发，从一个侧面反映了时代的要求。

二、地方课程开发的意义与价值

首先，从课程管理政策看，地方课程的设置与开发，实质上是课程权力的分配与逐步下放，是我国课程管理政策的重大突破。众所周知，中国历史上的教育管理体制实行的是中央集权制，体现在课程上，自然是中央对课程的集中统一管理。新中国成立以后，又全面移植了苏联的教育管理理论和经验，把“课程”置于“教学”之下，“课程”的概念及权力只属于中央，地方的任务就是严格按照中央的规定，忠实地组织教学。显然，这些都是单一的计划经济在课程管理中的反映。

这种管理体制在表现出加强集中管理的优点的同时，更多地暴露了问题与弊端。课程是一种权力，在这种体制下，地方是无课程权力可言的。随着教育体制改革的深入，课程管理体制改革被提上了议事日程，其题旨被定位于形成具有一定弹性的、有利于调动地方积极性的管理体制；其关键是课程权力的逐步下移，让地方获得较多的课程权力；其切入点和突破口就是设置地方课程、校本课程，实行三级课程管理。

这样，我国开始初步形成课程权力的分配框架。在这一框架中，地方课程的设置与开发无疑起到了杠杆的作用。

其次，从课程体系看，地方课程的设置与开发，健全并完善了我国基础教育的课程体系，是课程结构的一大改革。长期以来，我国基础教育课程体系指的就是国家课程体系。从现实情况看，文化、教育基础各不相同的地区只用统一规定的课程，显然缺乏弹性，难以适应不同地区、不同学校的需要，难以做到为当地经济社会发展服务，也难以培养学生热爱家乡的感情。从理论上看，国家课程多集中在普遍性知识上，它无暇也无法顾及地方性知识，长此以往，就会有偏重精英文化而忽视乡土文化、草根力量的可能。新的知识观和知识体系告诉我们，在普遍性知识之外，实际上还存在着各种各样的地方性知识。

地方性知识是知识体系中不可或缺的组成部分，其价值就在于向我们展示人类知识的完整及其特有的精彩和深刻。从某种程度说，课程体系就是知识体系。地方课程的设置与开发，从理论到实践，都是对我国课程体系的完善，在坚守学科的同时走向更完整的课程，在坚守国家统一课程要求的同时走向课程结构的多元化。

再次，从课程队伍建设看，地方课程的设置与开发推动地方课程队伍的形成及其水平的提升，是我国课程队伍建设的一大进步。课程是由人创造和实施的，课程权力总是与课程管理者、实施者、研究者的能力紧紧联系在一起的。以往，地方只有执行课程计划、组织教学的权限，虽有一支队伍，但严格地说，这只是一支教学管理队伍，而非真正意义上的课程管理队伍。随着国家教育行政部门的赋权，地方面临着许多新的课题，其中最为突出和紧迫的是课程队伍建设。一是地方上课程管理者队伍的建设。地方必须有一批人对课程的规划、设置、调整及地方课程的开发、校本课程开发的指导等进行统筹，作出合理安排，进行科学指导。二是课程研究队伍的建设。地方必须有一批课程研究者，对课程理论和实践进行研究，为各地和各学校的课改提供理论、信息、资源、技术等方面的支撑，并在实践中逐步成为课程专家。三是课程实施队伍的建设。新课程背景下的教师已不仅仅是课程的实施者，还应是课程的创造者，需要在已有经验的基础上进行改造。地方课程的设置与开发为课程队伍的建设提出了更高的要求，也提供了机遇和平台。

三、地方课程的地位与功能

在课程体系中，国家课程、地方课程和校本课程都具有十分重要的地位，各具使命和独特的功能，相互渗透、相互支撑，形成了完整的课程结构。因此，不应人为地把这些课程分主次、定从属、有高下，不能简单地视地方课程为国家课程的补充或延伸。

地方课程有其独立的地位。其一，地方课程和国家课程一样，都是从不同的角度，以不同的形态，承担着促进学生素质全面提高与个性发展的重任，在共同承担为中华民族的复兴奠定基础的使命的过程中发挥不同的作用。各类课程之间当然有联系，但要说地方课程服从于、服务于、补充于国家课程，必然削弱地方课程的独特价值和重要作用。要说服从服务，所有课程都应服从教育方针，服从教育目标；要说补充，国家课程与地方课程应是相互补充的。其二，是否有主次、从属和高下之别，既不在于国家、地方和校本的名称上，也不在于所占课时的多少上，课程的地位应由其所承担的任务来确定。

最后，回到新知识观上看，地方课程反映的是地方性知识，地方性知识与普遍性知识同等重要，而且从文化战略和策略意义上看，地方性知识是对经济全球化进程和社会科学本土化思潮的一种积极回应和推进，是对地方性知识、对草根力量的尊重和守护。普遍性知识与地方性知识各具优点，地方课程与国家课程也应处于平等的地位。我们不是削弱，更不是否定国家课程，而是让国家课程和地方课程各居其位，“各领风骚”。从当下的实践来看，地方课程开发还没有更大的进展和突破，对地方课程地位与价值认识的不到位，可能是一个重要原因。

地方课程开发应注意的几个问题

地方课程开发包括：课程的设置、规划，方案的编制，目标的设定，内容的选择，材料的组织与呈现，以及课程的实施与评价等。但地方课程开发有这样几个主要问题应引起更多的关注：一是开发的主体问题，即由谁来开发；二是开发的程序和模式问题，即怎样开发；三是开发的内容，即开发什么。

一、何为地方课程开发的主体

我们可以从不同的角度对地方课程作出界定，但具有本质意义的维度应是考量开发的主体，即由谁来开发，因为开发主体决定了课程的性质。其实，国家课程、地方课程、校本课程，它们从名称上就揭示了其课程开发的主体。地方是地方课程的开发者，是地方课程的主持者，凡是由地方独立开发的课程就是地方课程。

地方是分层次的，在地方课程的开发中，不同的地方承担的主体角色不同。总的说来，省级教育行政部门是地方课程的规划主体，具有对本省地方课程设置的决策权；是地方课程的审定主体，具有对地方课程教材等教学资源的审定权；是地方课程的统筹主体，要对地方课程开发过程进行统筹协调。市、县级教育行政部门是教学资源的开发主体，即组织力量进行地方课程教材的编写及其他教学资源的开发。学校是地方课程的实施主体。总之，地方课程开发主体是一个由不同层次形成的结构。

二、如何开发地方课程

课程开发有其特有的规定，不是随意的行为。目前，地方课程才刚刚起步，缺少开发的准备和可供借鉴的经验，加上各地的基础、条件很不相同，差异性很显著，在开发初期，肯定会有很多问题，碰到很多困难。此外，还有认识上的误区，即地方课程的地方性、独特性使其带有随意性和简单化倾向。因此，对地方课程的开发亟须规范，以保证其开发的质量和水平。

地方课程开发的依据有三个。一是政策依据，《课程纲要》明确规定要设置地方课程，并在以下方面对地方课程作了规定：课程功能既要关注知识与技能，还要关注过程与方法，更要关注情感态度与价值观；课程实施要着力变革学生的学习方式，提倡自主学习、合作学习和探究学习等。二是现实依据，地方课程要从当地经济、科技和社会发展的实际出发，地方的文化传统应是地方课程内容的重要组成部分，地方的特色也应是地方课程的特色。地方课程应紧贴地方的“地面”，紧随地方发展的步伐，这是地方课程设置与存在的价值，也是地方课程的命脉。三是理论依据，现代课程理论、新的知识观尤其是地方性知识理论、社会科学本土化发展走向，以及人类学、社会学的田野工作方法等，都为地方课程提供了多种理论支持，地方课程也从不同的侧面反映了对理论的追求。以上三个方面依据的核心内容都是学生的发展，要围绕学生发展，在现实与理论之间、在实践与理论之间搭起桥梁。

对于地方课程开发和申报的程序也有一定的规定。

第一，省级教育行政部门要作出对地方课程开发的规划。要通过充分的调查研究，对环境作出分析，对条例和基础作出评估，对学生的需求有准确的把握，在此基础上研制规划。规划要在课程理念与指导思想、课程目标与基本要求、课程内容与课程形态、课程实施途径与方法、课程资源开发、课程评价、课时安排以及教师队伍建设、管理权限、实施阶段与步骤等方面作出明确规定。规划要听取市县级教育行政部门、学校和社会有关人士的意见，充分论证，报教育部备案。

第二是组织申报与立项。地方各级教育行政部门有一定的行政权，要发动和组织具备条件的单位、团队和个人，依据地方课程开发规划，选取其中的内容进行研究和开发，形成开发方案。方案应包括课程名称、目标和内容、材料呈现的方式、评价要求、课时安排等，连同申报报告报省级教育行政部门，经专家审定、省级教材审查委员会审定后予以立项。

第三是申报者按通过的立项方案组织开发。开发时，在申报前工作的基础上，再作进一步的调查，尤其是对地方的历史、发展及地方需求、资源要有更深入的了解，对该课程的性质、特点要有更准确的把握，对具体的课程形态、教师用书形式要有清晰的规定，最终形成送审报告。

第四是对教师用书的审定，要通过后再供学校和地方选用。

地方课程开发一般有以下几种方法。一是思辨，即根据文件精神和要求、课程理论，思考地方课程的内涵，框定地方课程的内容，设计内容呈现的方式，然后组织专家编写。二是改造，即地方凭借编写乡土教材的经验，对已有的乡土教材进行改造，或用开发校本课程的方法，对校本课程加以扩展和改造。三是对学科课程进行延伸、补充。在地方课程开发的初期，采用这些方法是必要的，但不规范也不符合地方课程的特质和开发的理念与要求。

方法要为课程的性质和内容服务，地方课程可以从地方性知识产生的方法中寻找具有个性的开发方法。比如“田野工作”，即在日常生活的现场，在生活的情境中进行观察和反思。地方性知识更具生活性、情境性，地方课程只有在日常生活的“生活世界”中才能寻找到自己的根据。因此，地方课程开发首先要对当地人们的生活和社会的发展进行调查和考察，在调查的基础上再进行提炼。再如“内部眼界”，即用文化去关照、过滤和整合地方知识。课程开发者是“文化持有者”，也应是“文化创造者”，他们的“内部眼界”实际上是一种文化的视角，文化审视和整合的能力，用“内部眼界”对通过“田野工作”获取的素材加以修复和调整，使之具有文化意义和课程规定性。又如“深度描写”，即用显微研究法，以小见大，以此类推地观察、认定。地方课程开发可以从小处着手，通过对案例的分析或对情景描述的解读，组织课程的内容，进而才能有新的认识和发现。

三、地方课程重在开发资源

新一轮课改把课程资源摆放到了十分重要的位置，引起了广泛关注和深入研究，资源观已初步形成。这说明，课程资源是课程开发的重要内容，其对课程建设和学生的学习有着重要的作用。地方课程的内容主要来自地方，资源的开发对地方课程的开发有着特殊的意义。

在对地方课程资源的开发中要努力做好以下几个方面的工作：一是创造条件建设课程资源或课程资源中心。资源是非常丰富的，但需要加工，不断提高其质量，使之从“天然”资源的状态提升为具有教育意义的“课程资源”。同时，教师们由于时间、精力和智力的限制，不可能及时获取教学所需要的资源，这就需要集中资源，以方便大家分享，使其充分发挥作用，建立资源库或资源中心就是一个好办法，需要教育行政部门或教研部门发挥统筹协调的作用。二是建设课程资源基地或课程学习室。根据规划和教学的需要，选择符合条件的机关、企业、图书馆、博物馆及具有教育意义的场所，建成供教学使用的资源基地，建设为学生学习地方课程的活动室、研究室。三是建设信息网络。利用现代信息技术平台，把课程资源在网上公布，供各学校使用。另外，还可提供多种形式的参考资料。

CURRICULUM

地方课程的根本意义在于管理

地方课程不仅包含关于其作为课程形态的认识和开发问题，而且包含对课程管理的问题。从《课程纲要》来看，地方课程被置于三级课程管理的框架中，从管理的角度规定了地方课程的设置，更强调对地方课程的管理，强调在管理的视域中关注地方课程的开发，是一种现代课程理念和制度设计与安排。因此，我们应该形成这样的基本认识：地方课程的根本意义在于管理。

但是，在具体实践中，不少地方把主要的兴趣和精力放在对地方课程的开发上，而对地方课程管理的热度和力度都显得不够，在认识和把握上尚有偏差。因此，对地方课程应有完整、准确的认识和把握，对地方课程管理应引起足够的重视。

地方课程管理具有两重含义：一是地方的课程管理，即地方对课程的管理；二是地方课程管理，即对地方课程的管理。这样的辨析绝不是一种文字游戏，而确实是其题中应有之义。

一、地方课程管理的指导思想与原则

地方的课程管理与地方课程管理的内涵、指向是不同的，但又有共同点，尤其是指导思想与原则。

地方课程管理应遵循以下指导思想和原则。第一，要有利于全面落实基础教育课程改革的精神，有利于实施国家的课程方案。地方课程是国家课程体系中的重要一环，与三类课程的管理是一个互动的整体，因此，不能脱离课程体系而孤立地开发地方课程，只有在课改精神的引领下，在国家的课程框架内，地方课程才有其真正的价值和意义，也才有可能通过地方课程去推动整个课程改革。第二，要根据不同地方的实际，充分发挥各级教育行政、教科研部门和学校在课程实施中的主动性和创造性，同时充分调动社会各界的力量，从不同角度参与到课改中来。课改不仅改变着课程的理念，也改变着课程管理的方式，自上而下与自下而上结合的方式，建构了课程的管理体系。地方和学校不仅是忠实的执行者，也应是创造者。第三，要有利于分类指导，增强课程的适应性，体现课程的地方特色。课程的理想状态应是统一与灵活的结合，既应有统一的基本标准和要求，又应有弹性，以增强课程的地方适应性、学校适应性和学生适应性。这样，才能更有效地为地方、学校和学生服务。第四，要有利于加强地方课程管理和研究的队伍建设，提高地方课程的研究能力、建设能力和管理能力及其水平。课程的背后是人，是一支队伍。事实证明，地方课程的管理和研究人员正随着课改在成长，一支具有研究、建设、管理能力的队伍正在逐步形成。

二、地方的课程管理要做哪些工作

首先，地方要增强宏观管理意识。课程管理是一个完整的概念，即不仅包括对地方课程进行开发与管理，还包括对国家课程的实施、校本课程的开发与实施进行指导和管理。为此，省级教育行政部门都应在整体把握的前提下形成课程实施方案，对课改进行整体谋划，提出要求，作出部署和安排，提供相关政策；市、县（区）级教育行政部门应根据国家和省级教育部门的方案，结合当地实际，制订本地区的课程实施计划，提供保障措施，报省级教育行政部门备案，对上级教育行政部门颁发的课程实施方案要作重大调整的，须经省级教育行政部门批准。其次，地方要增强过程管理意识。各级教育行政部门要加强对课程实施过程的指导和评估，要对实施效果进行监控，善于总结经验，及时研究存在的问题，把握好课改中的各种影响因素，处理好创新与继承的关系，让课改过程充满活力。再次，地方要增强统筹和协调意识。教育部门应在政府统筹下协调农业、科技、文化等部门，统筹资源，对实施课程所必需的师资、场所、经费等提供必要的条件和政策保障；调动社会各界力量，支持和参与课改，建立各级地方政府、教科研部门、各类学校和社区共同参与的课程管理体制。最后，地方还要增强服务意识。“最好的管理是最好的服务”，地方要有服务理念，起承上启下的作用，提供创造性、高质量的服务、信息和学术技术支撑；同时，要严格管理，尤其是对教材和教辅材料的管理，要形成监督机制，对违规问题要严肃查处。

三、地方课程的管理包括哪些方面

对地方课程的管理，从宏观上看，主要是地方课程申报、评审、立项及教材审查的细则，要对地方课程的实施进行督导，对地方课程的资源进行统筹、协调等；从微观上看，主要是对地方课程实施过程中具体问题的了解、研究和指导等。当下，有几个问题需要引起足够的重视。

一是省级教育行政部门在确定地方课程时要给市、县（区）级教育行政部门留下足够的空间。一些省级教育行政部门实行地方课程统一制，即省内各地学校要开设由省统一规定的地方课程，使用统一编制的教学材料，将省定的课程作为地方课程。这种规定和做法，违背了课改的指导思想，削弱了地方课程的地位和功能。在一个省，甚至在一个市的范围内，其经济发展、科技水平、文明程度和课程资源都存在着很大差异，如果以省来统一要求，势必淡化了课程的弹性和地方适应性。所以，各省要根据国家基础教育课程改革的要求，结合本省实际，实行分类指导，留给市、县（区）级教育行政部门自我调整、自我发展的空间，在省统一规划、部署的同时，可以以市甚至市以下的行政区划空间为范围去开发地方课程。这样，可以形成地方课程的地方特色，提高课程的选择性和适应性，充分调动市、县（区）级教育行政部门的积极性和创造性。

二是严格管理地方课程在学校的实施过程。从了解的情况看，在一些地方和学校，地方课程并未列入课表，未真正得到实施。概括起来有下列几点原因：（1）以课程需要整合为由，把地方课程的课时“整合”到综合实践活动中去了。综合实践活动是国家规定、地方操作、学校实施的课程，与地方课程有不同的目标、特点和内容，综合实践活动需要保证，地方课程同样需要落实，否则，三级课程及其管理系统是不完整的。（2）把地方课程视为校本课程，以校本课程代替地方课程。真正的课程都应在校园里发生，所有的课程都有一个“校本化”的过程，但地方课程毕竟不是校本课程，二者应在互通、互动的同时各居其位，各司其职，发挥不同的作用。而这种对地方课程、校本课程有所偏好、偏重的现象是不符合课改精神的。（3）对地方课程督导的力度不够，对所存在问题的重视、检查、督改不够。从本质上说，就是应试教育的体制还未得到根本改变，而坚持并高质量地实施地方课程有利于新课程的实施，有利于素质教育的推进。

三是加强地方课程的研究。在我国，地方课程是一种新的课程形态，三级课程管理也是一种新的课程管理体制，其中有许多理论问题需要我们研究，已有的研究成果也还需要更加深入；在实践方面，在如何处理三类课程间的关系、体现课程应有的特质和特点方面，我们还有许多薄弱之处，还存在一些认识和实践上的盲点，这就涉及研究力量，地方课程应列入课程理论，应有专门人员对其进行研究，还应进行国际比较，使地方课程具有中国文化的品格和风格，并丰富和完善现有的课程理论。

CURRICULUM

让地方课程回到应有的位置上去

课程改革进入深化阶段后，地方课程的开发与实施，和国家课程、校本课程相比，显得十分薄弱。众所周知，地方课程是国家基础教育课程体系中重要的有机组成部分，地方课程薄弱必然导致课程体系的薄弱，甚至导致国家的课程不完整。因此，地方课程的开发、实施应当引起足够的关注。

地方课程的薄弱，究其现状与原因，不外乎以下四个方面。

其一，开发主体意识的缺失。国家课程、地方课程、校本课程，是以开发主体为维度来划分的。国家课程是由国家组织开发的，其重要性以及受重视的程度不言而喻。校本课程开发的主体是学校，校本课程在很大程度上影响着学校的特色建设和“品牌”的形成，无形中学校便把课程建设的重点放在了校本课程开发上。地方课程开发的主体是地方，可是，何为地方？在概念上是比较模糊的，在实践上也是不明晰的，因而开发主体的意识逐步淡化。地方何为？地方也有一些困难，尤其是地方教育行政部门工作繁忙，对地方课程的开发与管理顾不上。如此一来，地方课程薄弱是必然的，而且这一薄弱现象被国家课程、校本课程的热烈所遮蔽，不易察觉。

其二，对地方课程内涵的理解与把握有失偏颇。《课程纲要》中明确规定，国家实行国家、地方、学校课程三级管理，其目的是实行课程的赋权，实现权利和责任的分享。所以，地方课程内涵之一，是指地方对课程的管理。由于地方亦是课程开发的主体，地方课程当然也是一种课程形态。地方的课程管理和地方课程开发是地方课程的完整内涵。两者相比，地方的课程管理任务更重。从某种角度看，地方课程的薄弱，反映了课程管理的薄弱；课程管理的薄弱必然进一步导致地方课程开发与实施的薄弱。

其三，对地方课程与国家课程、校本课程关系的理解和把握不够准确。《课程纲要》中提出：在国家课程开发、实施的同时，开发地方课程和校本课程。“同时”的表述，意味着在基础教育课程“世界”中，国家课程、地方课程、校本课程是平等的、相辅相成的，它们从不同的角度，共同承担起促进学生全面发展的任务，所以，地方课程有其独立的地位和独特的价值。地方课程对国家课程起着补充、拓展的作用，但它存在的根本价值不在此，而在加强课程的地方适应性，满足地方经济、科技、社会发展的需求。如果把地方课程的价值、功能只定位于对国家课程的补充、拓展，则窄化了地方课程的根本价值和主要功能，而且有可能异化，为应试服务。

其四，地方课程规范化水平不高。课程有其基本规定性，否则，就不具备课程意义，就不能称之为课程。地方课程首先是课程，必须提升其规范化水平，以达成预期的课程目标。一些地方，研制了地方课程规划、地方课程纲要，具体的地方课程还制订了方案，这些绝不是一种形式，不是简单的文本，而是对地方课程的整体思考、顶层设计，是对课程元素的准确把握，是课程规范性的重要体现。但是，从总体上看，大部分地区地方课程的开发还处于随意、散乱的状态，有的还不是真正意义上的课程。如果说，课程改革刚刚启动的时候，大家尚处于摸索阶段，存在这种现象可以理解的话，时至今日，课改进入深化阶段，出现这种问题就不能原谅了。

以上这些薄弱状况，还涉及认识上的其他问题。

首先，是对地方课程管理实质的理解和把握。课程改革始终循着两条路线在进行：自上而下与自下而上。自下而上，其目的是关注地方，重视基层的积极性，鼓励地方和基层大胆探索和创造。地方课程正是把自上而下与自下而上的改革路线结合起来，统一在一起，为地方和基层成为课程的领导者、研究者、创造者留下了空间，提供了机会。地方教育行政部门应当充分认识到这一重要意义，把握地方课程管理的实质，进行科学规划、整体设计、合理布局，提供平台，提供专业职称，加强督促检查。

其次，是对“地方性”的理解和把握。“地方性”，亦即地域性，其内涵非常丰富，边界很宽泛。用阐释人类学的观点来看，在全球化日益加速的今天，“地方性”不仅不会消逝，相反，还会与全球化互动，形成文化的多样性，“地方性”实为地域文化。所以，地方课程的“地方性”应当是对地域文化的映射，甚至可以这么认为，地方课程是以地域文化为主题的课程。同时，“地方性”又不能局限于地方，从地方的角度，以地方特有的方式来呈现国家的、世界的内容，也可认作“地方性”。地方课程既坚守本土性，又具有一定的超越性。

再次，是对地方课程综合性的理解与把握。地方课程主要是综合型课程，综合性以及实践性、活动性应是其主要特征，倘若忽略这些特征，会演化为变相的课堂教学，学习方式变革的目的就不能实现。地方课程学科化的倾向应当谨防、力避。

笔者以为，应当及早地对地方课程作出必要的规范，让地方课程回到它应有的位置上，使其健康发展。

第三辑

CURRICULUM

课程创新：智慧与品质

■ 校长与教师的变化，意味着学校课程立场和决策路线的变化：自上而下与自下而上相结合，而且更看重自下而上的过程。这是真正民主、科学的决策，这样的决策使校长和教师都坚定地站在学生的立场上。

■ 审视和反思，我们不难发现，课程开发还存在一些问题，比如课程开发的规范性不够强，就是其中一个突出的问题。值得注意的是，开发的规范性不强乃至缺失，必然带来课程开发的随意，乃至开发的盲目，这必然会影响课程的质量和水平，最终当然会影响学生的发展。

■ 万事万物既相互联系又相互融合。因而，生活是一个整体，世界呈现出一个完整的图景。这就是事物存在的方式和存活状态。课程必然要体现事物这种存在的特点。事实证明，综合使课程更具整体性，更具包容性，也就更丰富更具活动力。

课程领导者：大智闲闲

CURRICULUM

教育，从管理到领导，是一场深刻的转型。

尽管管理和领导在很多方面是一致的，但是管理与领导毕竟是不同的，而且随着专业化的发展，它们的差异愈加明显。有人曾这样概括：专业化过程把昔日的单一管理工作划分为多种专业工作，以至最终出现了一种纯粹的领导职能。领导者把全部基本职能交给专职工作人员，而只把协调他们活动的工作留给自己。其深意是，领导在组织中从事最高层次的管理工作。领导与管理的根本区别在于，领导是一种变革的力量，而管理则是一种程序化的控制工作。当然，在实际工作中，管理与领导常常糅合在一起——尤其是课改后的今天——不过，教育管理必须走向领导，这是必然的走向。

课程改革、课程建设同样如此。传统的课程管理已不能适应课程改革的需要，课程建设的发展需要一种变革的力量来推动，这一力量就是课程领导。课程领导将把课程改革推向深入，将把课程建设提升到一个新的高度。因此，我们国家新一轮的基础教育课程改革，从管理的角度看，正是从课程管理走向课程领导的一场深刻的变革。如今课程领导不仅发生在上层决策部门，而且已在学校层面上展开并将逐步实现。

校长应当是课程领导者。校长不仅应出现在课堂里、实验室里、操场上，也应坐在办公室里深入思考、谋划学校课程改革，抑或说，他在课堂里、校园里，正是对课程改革进行深入的观察与体悟。总之，他在“领导”而不只是管理。也许，正如庄子所言：“大知闲闲，小知间间。”闲，空也，空着，无限大也。关注宏观，进行战略思考，在整体上谋划与决策，这是大智，这是领导，而非管理。间，隔也，隔者，小也。只关注细小的，甚或是琐碎的事，充其量是小智，这是管理，而非领导。可见，课程改革改变了校长的思维方式和工作方式。

教师也应该是课程领导者。教师不只是在教室里教书的那个人，即使在教室里教书，他也不只是在忠实地执行，而是在创生，与学生们一起创造课程；即使在教室里教书，他的背景已发生了变化，课程的意识已在“驱动”他在坚守学科本位的同时，把学科、课堂向其他学科敞开，向生活敞开。更为重要的是，教师还常走进校长办公室与校长一起讨论学校课程，教师从执行者到参与者再到决策者，这一重大的变化，是教师身份的变化——教师成为课程领导者。

校长与教师的变化，意味着学校课程立场和决策路线的变化：自上而下与自下而上相结合，而且更看重自下而上的过程。这是真正民主、科学的决策，这样的决策使校长和教师都坚定地站在学生的立场上。

显然，课程领导是一种道德领导。如今，课程领导者发现自己身处道德震荡的中心，常常受到不同价值观的冲击和考验。我们不能也无法回避价值冲突，而客观理性不是解决冲突的唯一办法，这时更需要道德的力量、道德的方式，需要通过价值去澄清，去化解。在道德领导中，校长和教师们确立起亦如美国学者萨乔万尼所说的“神圣权威”。这既是人格权威，又是专业的学术的权威。

CURRICULUM

规范，课程开发应有的品质

课程改革正在深入进行，其中，课程开发显得尤为活跃，用风生水起、蓬蓬勃勃来描述是恰如其分的。实践生动地表明，课程开发首先激发了校长、教师的自主性、积极性和开发性。我们为此而欣喜。

任何改革进行到一定阶段都要回顾反思，总结经验，发现问题，以利再战。课程开发同样如此，在看到进展和成绩的同时，还应认真深入地审视和反思，且不难发现，课程开发还存在一些问题，比如课程开发的规范性不够强，就是其中一个突出的问题。值得注意的是，开发的规范性不强乃至缺失，必然带来课程开发的随意，乃至开发的盲目，这必然会影响课程的质量和水平，最终会影响学生的发展。值得注意的是，这一现象还较为普遍地存在着。课程开发的规范性，是个亟待研究和改进的问题。

课程开发的规范性不强，集中表现在以下四个方面。其一，缺少科学合理的顶层设计和规划，学校课程体系比较乱。所有课程进入学校以后便获得了一个重要身份：学校课程。学校课程包括国家课程、地方课程的创造性实施，也包括校本课程开发。站在学校课程的角度，国家课程、地方课程的创造性实施亦是一种课程开发过程，而一些学校对学校课程的理解和把握不够准确，误以为校本课程就是学校课程，因而把主要精力放在校本课程开发上，自然就忽略了国家课程、地方课程的创造性实施。严格地说，这样的课程体系是不规范不合理的，科学性是不强的，很容易造成课程的畸重畸轻，造成学校课程的混乱，对学生核心素养的发展是不利的。其二，没有认真按照课程的宗旨和课程元素去开发课程，所开发的课程不具备课程的意义。这一问题集中表现在校本课程开发上。一些地方和学校把校本课程开发的宗旨定位于形成学校特色和品牌，学校的特色和品牌遮蔽了学生，于是学生从主体地位上退下来，坐在“次席”上，甚至缺席了。这样的目的显然是有大问题的。此外，校本课程开发固然可以从兴趣小组的活动开始，但兴趣小组活动如果不按照课程元素去改造和优化，尽管冠之以“课程”二字，都不能称为课程的，是否成为课程，不在于它的名，而在于它的内涵与意义。同时，校本课程没有按照开发的程序去进行，缺少必要的论证和审议。总之，从总体上看校本课程开发是比较随意的。其三，拓展性课程开发的重点不够准确。拓展性课程是与基础性课程相对应的概念，它是对基础性课程的适当拓展，但这绝不意味着它就是为基础性课程服务的。一些地方和学校又把拓展性课程就定位于应试科目的拓展，追求知识的加宽、难度的求深、要求的拔高，而忽略了学生兴趣的培养和综合能力的提升。拓展性课程开发缺少纲要或方案，缺少准确定位和开发规范，是造成问题的主要原因。其四，在开发的认识上也亟待调整和提高。一些地区和学校开发课程存在以下误区：一是认为课程开发得越多越好。盲目追求数量，甚至还存在攀比现象，“以多求胜”的心理比较突出。二是认为课程名称越新越好。在课程名称的新颖上下功夫，猎奇的心理比较突出。三是认为课程越综合越好。综合固然是改革的走向，但绝不是以综合代替一切，不是以综合否定学科课程，也绝不是不分学段、不从学校实际出发地一味求“全”，求综合。综合更主要的是理念和方式，而不只是课程形态。这样的开发，认识上的不准确，是产生问题的主要原因。四是认为课程开发越往“下”越好。既然有了校本课程，就应有班本课程；既然有了班本课程，就应有师本课程；而最终应有生本课程。我并不反对班本课程、教师课程，而且也赞同；问题是这些课程概念的逻辑关系没搞清楚，相互交叉重复，应该梳理好。我也十分赞成自下而上的开发路线，但下是为了什么，下到何处，怎么下，这些问题没有搞清楚，如此的开发，难免产生问题。思考不深以及追求功利是产生问题的主要原因。

规范，是课程应有的品质。规范，主要指课程及其开发的规定性。遵循规定性，突显规定性，才符合课程的规范性，课程才会获得课程的意义，才能称其为课程。因此，规范是课程开发的应有之义和内在的应有品质。课程的规定性，主要指课程的基本元素和课程开发的程序。课程的基本元素包括课程名称、课程定位、课程理念、课程目标、课程内容、课程实施、课程资源、课时安排、课程管理、课程评价等。强调这些元素，倒不是在概念上、形式上兜圈子，而是强调具备了这些元素，才可能是真正意义上的课程，好比一部机器，具备了所有的零部件，才称之为机器一样，零部件缺失，这部机器当然是残缺的，有时是不能称其为机器的。而如何组装这部机器就是课程开发的程序和技术。程序和技术，在课程论中已有不少论述，我以为特别重要的是课程开发的规划、设计、论证等应鼓励教师深度参与，参与度越高，参与的深度越深，课程开发越能达成共识，越能集成大智慧，越能培训教师，提升课程能力。

为了增强课程开发的规范性，提高课程的品质，我以为应该坚持“回到”的理念，即回到课程的“跑道”上去。课程即跑道，这一理论或理念至今都没有过时。长期以来，我们专注于“道”，而忽略了“跑”；如今，我们已重视了“跑”，即重视课程实施的过程，包括过程中的经历、探究、体验、感悟、发现，这是一个重要进步。与此同时，我们是不是又忽略了“道”呢？“道”，不只是指课程内容，也包括课程的目的性、计划性，包括必要的规则和制度。从某种角度说，重视“道”是重视课程的规则，重视课程的规范性。“跑”与“道”是个整体，是不可分割的，回到“跑道”，就是回到完整的课程意义上去，包括回到课程的规范性上去。对此，我们要坚信不疑，也要坚定不移。

课改深入到今天，我们需要激情，也需要理性，需要理性精神、科学态度。当下，尤要重视科学理性。关注、研究、提高课程开发的规范性，提高课程品质，应是一种激情与理性的结合和统一吧。

CURRICULUM

学科价值：边界的打开与坚守

课程改革中有两个项目引起人们的关注和思考。清华大学附属小学，在校长窦桂梅的带领下，对课程进行了高程度的整合，建构了“1+X”的课程体系。学科的边界在打开中开始“模糊”，在“模糊”中走向综合，在综合中又显现新的清晰。这一改革以课程的综合为取向为方式，顺应着课改的朝向，在全国引起了极大的反响，被誉为小学课程改革的一面旗帜。

2014 年 11 月，在江苏锡山高级中学成立了“中国著名高中学科建设协作组织”，其主题为学科建设，其宗旨是联手促进学科发展，合力提升教学质量，其研究的重点是学科核心素养的构成要素、发展途径及评价标准。显然，这一项目是以学科建设为取向为方式的，同样也引起了大家极大的关注。

两种不同的改革，我们怎么看？我们又怎么办？看起来，这是矛盾的甚至是对立的，做起来也是有一定困难的。它们彰显着不同的价值，但在深处是一致的，课程的逻辑是清晰的，它们共同呼应着并实现着课程改革的目标。

（1）课程必须走向综合，课程的综合始终是基础教育课程改革的走向和重点。

还记得2014年的诺贝尔化学奖得主吗？获得诺贝尔化学奖的是物理学家。是评选委员们搞错了？当然不是。这一现象蕴含着深意，那就是知识的综合与研究的跨界。如评论所说，一个物理学家的身份并不能说明他的真正身份和研究领域，现代科学的前沿都是相互交叉的，简单的学科分类，会给知识贴上标签，进而会让人产生误解。科学史、发明史不止一次地证明：创新总是发生在学科的交叉地带、边缘地带。亦如熊彼特所言，所谓创新，实质上是原有各要素的重要组合。概览当下的课程，仍然以分科教学为主，学科的边界特别清晰、坚固，各“科”为战的局面并没有真正打破，国家关于课程改革的要求和目标还未实现。课程的综合取向，实质是创新的取向，是培养学生核心素养的取向，是促进学生全面发展和有个性发展的取向。为此，我们应从清华附小改革中获得启示和经验，坚定地去进行课程综合的试验。

（2）课程在综合的同时，还应该坚守学科的独特价值，边界该守时还得勇敢地去守住。

还是说到诺贝尔奖。普通人看来，这届获得诺贝尔化学奖的课题研究似乎与化学无关。可事实上是，这项研究深深根植于对分子的光化学和光物理性质的物理化学与化学物理的研究。误认为无关，恰恰说明了我们对于科学前沿的认识常常标签化和表面化，难以看到学科知识重要的独特价值，难以看到基础研究与应用间的内在联系。如果再拓展一点说，我们还没有很好地理解和把握知识发展、科学发展中的源与流的关系，及其内涵的变化。学科的边界在“消融”，其实，它既在融合，又在智慧地固守，以另一种方式存在着，在知识的创新中发挥着学科的价值。严格地说，学科并没有“消融”，而是在与兄弟学科的驱近中，互相吸收，互为支撑，相辅相成。

科学研究、发明是这样，基础教育课程改革也同样如此。我们不难理解，高中阶段的课程应以分科为主，但要在领域中走向大学科、大课程，以至走向生活。那么，义务教育阶段的课程呢？我以为在学理上应是一致的。最近听到一个口号：淡化学科。这是一个值得深入研究的课题，应当根据不同的语境来分别对待。比如，在校本课程开发中，就应当淡化学科概念，开发以综合为主的课程；而在国家课程的实施中，应优化学科教学，而不是淡化学科。只有不同的学科，从本学科的地位、性质和独特任务出发，才能形成合力，促进学生全面素养的提升。事实上，学科教学在坚守自己边界的时候，它已经在内部深处与其他学科知识发生各种各样的联系。这里有个大问题，就是所有学科都要以学生发展核心素养为核心，这就是学科既打开又坚守的价值依据。这样，才能真正找到并坚守自己的边界。

学科边界的坚守与打开同样重要。也许坚守是为了深度的融合，而打开又是另一种更为重要的坚守。总之，要以学生核心素养发展为目的，从有利于培养学生创新精神出发，该坚守的就勇敢坚守，该综合的就大胆综合；在综合的视野下坚守，在坚守的同时走向综合；一切都在教师的深入理解和准确把握之中。这就是学科课程改革的魅力，是课程改革无比巨大的张力，让我们去研究，去享受。

CURRICULUM

如果只有课程标准

江苏省扬州市梅岭小学曾讨论过一个问题：如果只有课程标准……这是一个极具前瞻性和思想张力的话题，因而又是一个极具挑战性的话题。

“如果只有课程标准……”，从语法上讲，这是一个假设关系的复句，可是省略了后半句。“如果只有课程标准，那么会怎么样？”答案可能是多样的。比如，“如果只有课程标准，而没有教材，那么我们怎么教学呢？”比如，“如果只有课程标准，而没有教学参考资料，那么我们能保证教学质量吗？”再比如，“如果只有课程标准，其他什么都没有，那么我们该怎么办呢？”……总之，它向我们提出了一个重要问题：如果只有课程标准，将会发生什么？我们又该如何对待？这一提问，其实是一个重要的提醒。

这个问题首先提示我们，一定要增强课程标准意识。课程标准是国家对学生基本素质水平的规定，也是对教学质量的基本规定；同时，课程标准是教材编写、教学活动、考试评价的基本依据。因此，教学应当是基于课程标准的教学。基于课程标准教学，要以课程标准为依据，将相关要求落实在教学的全过程，也应以课程标准来检验教学的成就。可是，实践中，我们往往只有教学概念而无课程概念，只有教学目标意识而无课程标准意识，因而教学缺少开阔的视野，产生了课程与教学脱节、教学目标与课程标准偏离等问题。显然，这样的提问，有利于教师开阔自己的视野。

其次它提示我们，“如果只有课程标准”，而没有现成的教科书，该怎么办？其实，只有课程标准，而无教科书，在民国时期早就存在。正是因为只有课程标准，而无教科书，出了一大批名师和大师。只有课程标准，而无教科书，至今在欧美国家仍然存在，可这些国家的教学质量仍然很高，尤其是教师的创造性和学生的探究精神得到充分培养。只有课程标准，而无教科书，在某些学科领域这一天迟早会来到。只有课程标准，没有教材，意味着我们必须去开发课程资源，去编写最适合班级和学生的教科书，去探索和创造自己的教学体系。这给我们留下了极大的创造空间，也给我们极严峻的挑战。对此，我们有勇气、有能力、有水平吗？我们作好准备了吗？

它还提示我们，虽然只有课程标准，而没有教科书，但我们还有儿童（学生）。严格而言，课程标准只是标准，而不是目的，让儿童达到课程标准的要求才是目的。因此，在关注课程标准的同时，必须更关注儿童，关注课程标准下儿童是怎么学习的。具体说来有三点：是怎么真实学习的，而不是虚假“疑似学习”；是怎么个性化学习的，而不是标准化、统一化学习；这一切必须让学生看得见，我们也必须看得见学生是怎么学习的。从某个角度看，“如果只有儿童”要比“如果只有课程标准”更重要。

“如果只有课程标准……”，引导我们改变思维和提问的方式。倘若这么提问——“如果没有课程标准……”，这是个多么精彩的假设啊！

CURRICULUM

综合：课程世界是平的

讨论学科综合问题，自然想起美国的托马斯·弗里德曼。这位卓越的报纸专栏作家，在通览世纪简史与预测世界发展趋势时认为：在新的世纪，“世界是平的”。他的意思是，世界是平坦的。这是因为“3.0的全球化”将会碾平边界与等级，人们走向更亲密的合作，世界因此将会“缩小”。他还进一步判断：平坦的世界是各种事物综合的产物，是人们合作的结果。

课程也是个世界。我想说，这个世界也应是平的，而且更应是平的。随着时代的进步，各个学科正在洞开自己的大门，敞开自己的胸怀，迎接“近邻”与“远朋”的做客与加入，大家亲密接触、共同携手，组成一个更加平坦的丰富世界。于是，学科的边界在坚守的同时开始“软化”，在清晰的同时也开始模糊，甚或去构成新的学科边界。这就是课程的综合，就是课程世界是平的意蕴。

其实，这一现代性的描述，是对客观事物存在本质认识的回归，即课程综合，首先反映并体现了事物发展的本真状态和客观规律。不言而喻，世界的万物是各不相同的，表现出各自鲜明的独特性。但各不相同并不意味着互不相关，也并不意味着互不相通。事实上，万事万物既相互联系又相互融合。因而，生活是一个整体，世界呈现出一个完整的图景。这就是事物存在的方式和存活状态。课程必然要体现事物这种存在的特点。事实证明，综合使课程更具整体性，更具包容性，也就更丰富更具活动力。在保守、封闭的状态中，学科的活动力必定会逐渐“老去”。综合，就是去恢复和追求这种课程存在的方式和形态。

课程综合也反映并体现了人们思维方式的转变。长期以来，人们往往处在互斥思维之中。互斥思维，致使不同的观点和文化互相排斥、相互冲突，其结果当然不可能是事物的共生与共赢。其实，最初的课程是整体思维的产物，随着社会的分工、知识的分流，才逐渐产生学科。但是，综合永远是个趋势，当学科越来越独立时，又必然走向综合。当然，这是更高层次的一种综合。综合性课程，包括学科的综合，意味着我们放弃了互斥思维，回到互补的、共生的和谐整体思维上来。

这样的课程才有可能成为培养学生整体思维的内容与载体。

课程综合，还反映并体现了人们把创造与创新的希望部分地寄托在课程改革上的期盼。创造与创新常常发生在边缘地带。而在边缘地带上活跃着具有创造、创新欲望与激情的人。他们作为交往与活动的实践主体，一开始便结构性地把知识世界联系起来，从而形成了先于个体又指导其行动的“情境界定”。显然，这样的“情境界定”是综合的，引导并展示着每个主体超越自身的主体性格局。正是如此的情境与格局，激发、促进了人们的创造性和创新能力。课程应当在学科的综合中，去追求和创造这样的情境与格局，进而培养学生从小就有创新的意识和初步的能力。

正是出于以上的观察与思考，新一轮课程改革将综合性作为课程结构的一个重要要求和特征，这是一种进步，标志着我们国家的课程改革正汇入世界课程改革的潮流，是对世界教育改革的一种回应。我们应理所当然地坚守，不仅不能后退，而且要努力向前进。我们应具有这样的世界眼光和改革的敏感性。重新提出学科综合这一话题，是一种提醒，也是一种追问，还是一种推动。不可否认的是，课程综合的思想正在淡化，甚至有淡出的可能。以上的思考与经验，提醒大家，课程综合不能后退，应进一步追问课程综合中的学科综合究竟怎么理解与把握，这必然推动大家以改革的意志与行动去走向学科综合。

需要指出的是，关于学科综合，在以上问题的基础上，还必须进一步把握好一些问题。一是综合的内容与方式。可以从三个层面去操作：学科内的、学科间的、与生活的综合。要分别对以上三种类型的综合进行研究，总结经验，寻求规律。二是学科综合并不是对学科材质与功能的消解，而是从综合的角度去审视，打开学科边界。我们不妨形成新的理念：课程视野、学科本位。三是学科综合的关键是教师，是教师的理念、素养与能力。可以这么说，有什么样的教师就可能有什么样的学科综合。所以，应该把主要精力放在教师的发展上。

课程世界是平的。平的世界让我们充满想象和创造。我们将迎来一个更加丰富多彩的课程世界。

CURRICULUM

走出教室一步，就是迈向生活

——综合实践活动的品格

综合实践活动，说难也不难，说容易也容易还真不容易。何为综合？综合何为？如何综合？综合是否有一个集中的主题和基点，如何理解实践？综合的质量是什么？……综合实践活动有其规定性，综合实践活动应有其品格。可以说，综合实践活动目前还只是在探索阶段，但是，我们有乐观的期待，因为不少老师的探索为我们展示了前景。比如，张蓉老师的《一杯牛奶的故事》。

《一杯牛奶的故事》的教学品格大致有以下几点。

其一，真实。真实是非常重要的品格。唯有真实的教育才是真正的教育，真正的教育才能培养真正的人，综合实践活动有一种类型，即先前是实践活动，而后是课堂汇报交流。不少汇报交流作了“精心”的准备，包括程序、内容、形式等，事先进行了审查和排练，因而汇报交流成了表演，丧失了综合实践活动的过程价值，学生已被装在一部精密的大机器中，成了工具，已非“人”了。可贵的是，《一杯牛奶的故事》尽管也是汇报交流的形式，但可以看得出：学生自己准备，而学生准备只是“粗坯”一个，准备得不完整。这正是真实的具体表现，也是真实的保证。真实，应是综合实践活动的第一要义和基本价值取向。

与真实紧连在一起的是生成。我很同意华中师大郭元祥老师的观点：

生成是过程的名词，过程的本质属性应是生成性。综合实践活动尤要追求过程的生成。《一杯牛奶的故事》的生成固然集中体现在课前的小组活动中（准备得不完整，准备得“粗”一点，才可能预设与生成相结合），但汇报交流中也处处在生成，而老师适时地把握和开发，这很好。真实的课让人舒心，虚假的课让人恶心。我闻到了“一杯牛奶”的香味。

其二，自主。综合实践活动的活动是学生自主的活动，只有自主才能真正落实学生的主体地位，也才可能有创新精神和实践能力的训练。一些实践活动课，虽有活动，但不是真正的活动，而是被动的活动，是老师指令下的“动作”，老师的活动代替了学生的活动。这样的活动是没有价值的，价值就在学生的自主上。

《一杯牛奶的故事》让学生成了故事的主人公。几个小组的分工与活动，学生自己设计、自己组织、自己展开、自己总结，其间有他们的见解，有他们的建议，有他们的独特的体会。事实证明，放手让学生去活动，学生会怀有责任心去做。自主精神的培养情况往往决定于教师对学生的信任度。

其三，体验。杜威说，走出教室一步，就是迈向生活。综合实践活动旨在让学生在生活中经历，在经历中体验。体验，不仅以身体之，而且是以心悟之——体验应触及学生的思维、心灵和价值观。体验不仅是个体的，也应有对共同价值观的认同。《一杯牛奶的故事》注重学生对一些深层次问题的思考，比如热爱生命、追求诚信、孝敬父母、同情劳动者、表达对商品的认识，以及倾诉自己的理想等等。这样，综合实践活动的价值不在知识上，而是在体验的深度上。可见，小题材可以有大的着眼点。

有品格才有品位，品位不在于形式的新，不在于技术的高，而在于课所体现的教育理念，所实现的教育目标，所追求的价值。

当然，《一杯牛奶的故事》还应更集中一些，不要有这么多“触角”，否则会显得“散”。我想，综合实践活动的主题与主线的确立可能是一个亟待研究的问题。

CURRICULUM

艰苦教育要在课程中落实

关于学生发展应作些案例分析。

特意关注了一些商界大佬是如何教育子女的报道，有些启发。潘石屹教育儿子的事例很感人。在外人看来，他的两个孩子是不折不扣的富二代，然而，在穷苦人家出身的潘石屹看来，富裕的家庭环境对孩子成长并非有利。他曾对两个儿子讲自己当年创业的故事：刚到海南，没有钱住宾馆，晚上只能睡在天涯海角的沙滩上，又担心衣裤被流浪汉偷走，每晚临睡前，都在沙滩上挖一个深坑，把衣服埋进去，睡到上面才放心。第二天穿上衣服，身上的沙子直往下掉。潘石屹说得风趣，可孩子们听了却难过地低下了头……

我们一直在提倡艰苦教育、抗挫折教育，可步履维艰、困难重重。这里有两个方面的原因。从大的方面来讲，整个社会环境不允许、不容许这种教育活动的存在。比如，让孩子外出锻炼，徒步远行，野外过夜，在艰苦条件下生存，一旦发生一些事故，哪怕发生事故的概率很小很小，发生的事情几乎谈不上严重，社会舆论一定哗然，把责任指向学校、教师。哪个校长、教师还敢组织这样的活动？从小的方面讲，家长处在矛盾状态，既想让孩子锻炼，吃点苦，又怕孩子吃太多的苦，吃不起苦。这种纠结，这样的犹豫，让孩子不知如何取舍，浅浅地趋向养尊处优，“野性”一点点地被消蚀掉。据说，现在高中的男孩子已不打架了，一是因为没有时间打架，二是因为不允许打架，三是因为不敢打架，结果是不会打架了。

我们教师也存在一些问题，抛开“多一事不如少一事”的心态，认识上、理念上也是有问题的。记得一次审查初中思想品德教材，教材上设计、安排了一些校外的实践活动，很有意思，但是一些人提出，这里有安全问题，那里有危险隐患。不能说这些意见没有道理，但至少可以说，我们一些人已被所谓的“安全”问题吓怕了。需要郑重说明的是，我全力拥护保障校园安全，但我坚决反对用所谓“安全”抵抗学生的野外实践活动，坚决反对“暖室”式的养花教育。

课程、教材是教育的载体，课程内容影响着学生的发展，教材的品质影响着学生的品质。我们不可能把全部希望寄托在课程、教材上，也不应该把所有责任都推给课程、教材，但课程、教材应当承载更多的内容。艰苦教育、抗挫折教育应当进入课程、教材，应当在课程、教材中得到落实、体现。

《荷马史诗》中曾有这样的话：上帝在给你一份幸福的时候，还附加双倍的苦难。没有苦难的经历，难以有最终的幸福。今天的艰苦教育、抗挫折教育，是为了通向幸福的彼岸。课程、教材、教学应当为学生通向幸福的彼岸搭起桥梁。2000 年，塞内加尔首都达喀尔举行了全民教育论坛，宣言中这么说：让所有的人受教育是胜利，但如果不能做到保证质量的教育，那不过是一种空洞的胜利。我们，应当关注和追求教育真正的胜利。

CURRICULUM

“伙伴课程”：儿童建构自己的学习

到一所幼儿园去考察，这所幼儿园正在进行一项实验：让大、中、小班的儿童在同一个班里学习，他们称之为混龄教育。在混龄班里，你可以看到生动、多彩的情景：大孩带着小孩，一起阅读、游戏、讨论、散步。这样的班级像是一个家庭，兄弟姐妹们在其中其乐融融。

这样的实验显然具有深刻的意义：当下的儿童太需要交往了，太需要友谊了，太需要亲情了。混龄教育，抵抗着儿童的孤独，也消解着同龄儿童在一起的单一生活状态。在这样的班里，儿童不只是学到了知识，更为重要的是获得了社会性发展。交往、合作、帮助的种子，已在他们幼小的心田里播下了。

这自然令我想起了课程。混龄教育课程不妨称之为伙伴课程。伙伴课程适应着不同儿童的发展，满足了不同儿童的需要，也彰显着混龄教育的特点——我们需要建设“伙伴课程”。

“伙伴课程”一定是儿童自己建构的课程。在“伙伴课程”学习中，儿童不仅是课程的学习者，而且是课程的资源。更为重要的是，儿童成了课程的开发者、创造者。因为他们是伙伴，是伙伴造就了具有儿童特质的课程形态。其实，他们已经不是在学课程了，而是在课程里快乐地建构自己的学习。

“伙伴课程”一定是儿童合作学习的课程。“伙伴课程”让儿童自己以对话的方式，学会交往，学会帮助，学会合作。你帮我，我帮你，成了课程显著的特征。正是伙伴课程，让儿童成了课程的主人，把他们推上了主动、积极学习的位置。以儿童为中心，以学会学习为核心，以自主学习为方式，在伙伴课程里更具条件，更能形成优势。

“伙伴课程”有更多的生成和创造。课程是行动的过程，是不断获得经验的过程，是在行动中不断发展的过程，因而，它可以不断地调整、生成，总是伴着活动在开发和创造。“伙伴课程”下，正是在互相学习、活动中，你发现了我，我发现了你；你有了新的问题，我有了新的想象。随着课程目标的实现，“伙伴课程”在生成和创造中有了更多的精彩。

“伙伴课程”更具有班本的特点。从开发的主体看，在课程的世界里应当是有班本课程的。在教师的引领和组织下，儿童可以从班级的特点和需要出发，以班级的学习生活以及日常生活为资源，开发班级自己的课程。因此，“伙伴课程”更具个性，更能真实反映、表达班级的集体生活。不同的班本课程，使整个学校课程更加丰富多彩。从这个角度说，“伙伴课程”让教师，乃至儿童都可以成为课程领导者。

CURRICULUM

美好的电影课

有篇流传于微信“朋友圈”的文章，说哈佛大学向大家推荐了14部培养孩子的优秀品德的电影。《光明日报》用关键词总结了这14部电影，比如用“孝顺”概括俄罗斯电影《寻找幸福的起点》，用“尊重”概括阿富汗电影《少女奥萨玛》，用“感恩”概括日本电影《佐贺的超级阿嬷》……关键词，其实是电影的一个主题，而一个主题正是电影传递的一个价值观；一个个关键词，串起了一个个价值观，形成了一个价值链。于是，尊重、孝顺、感恩、关怀、诚实、信赖、勇敢，犹如一盏盏红灯，照耀着孩子们的心灵；孩子们的心灵，透射出一个个闪亮的价值认知及其追求。

韩国电影《总统的理发师》曾被评为东京电影节的最佳影片。故事的梗概是：主人公汉莫意外摇身一变，成为总统的御用理发师。十多年来，亲近权力核心的不平凡遭遇，让汉莫看透了最高权威背后的黑暗。当心爱的儿子阴错阳差卷入了间谍疑云之后，汉莫选择了亲情，不在乎冒犯了总统。这部笑中带泪的喜剧片，说的是，正义在每个人的心目中有不同的面貌；引发的思考是，究竟什么才是真正的正义呢？加拿大2005年台湾宜兰绿色影展闭幕影片《蓝蝶飞舞》，取景于哥斯达黎加的雨林，改编自真实的故事：彼特是一名身患绝症的小男孩，他喜欢搜集昆虫标本，深切的愿望是能亲眼看见世界上最美丽的“蓝墨蝶”。在雨林中发生了许多出人意料的事，没想到迷路也可以是一种出路。影片给出的关键词是勇敢；引发的思考是，唯有勇敢才能战胜病魔，要挖掘你最勇敢的一面……以上这些引人思考的深层价值，也许是哈佛大学推荐的主要理由。

其实，是不是哈佛大学官方推荐并不重要，重要的是它所传递的是什么价值，又是怎么传递这种价值的。无疑，这些电影传递了人类最美好的品质和情感，这些都应是人类共同的价值追求。同时，这些价值又闪烁着中华优秀传统文化的光彩，成为中华优秀传统的文化符号。因此，我们应当把这些电影推荐给孩子们，不妨看作是人类馈赠给孩子们的礼物。

我常想，中小学应当开设电影课。电影以它特有的视觉形象，融入了人类所追求的美好，融入了价值观。电影为我们创新了融入的手段和艺术，为教师提供了融入的智慧。电影课，这种校本课程，不仅丰富了学校的课程形态，改善了课程结构，而且优化了课程的实施途径和方法。也许，一部电影会解决教育中的一个难题；也许，一部电影会改变孩子的命运。记得小时候，为能去看一部电影，常常会翘首盼望，往往兴奋得不能自已。孩子的心理就是这样。如今，电影成了一门课程，不断地呈现在他们面前，他们怎会不喜欢，怎会不激动？可想而知，我们所教的知识，就在银幕中化为一个个闪光的东西。此时，那闪光的东西，已不是知识了，而是价值了。价值的沉淀，又将会变成什么呢？这是不言而喻的。

CURRICULUM

让学生节日成为一种课程文化

学生们多喜欢过节，尤其是属于学生自己的节日，如六一儿童节、五四青年节，还有学校社团组织的科技节、体育节、艺术节等。不同的节日，给学生们带来不同的快乐和幸福，也给学生们带来丰富的人生体验和精神滋养。过节，已悄然成为学校的特殊课程，可能还未写在课表上，但它已深深烙在学生们的心头。事实证明，特殊的节日课程，是学生们所企盼的、喜欢的课程——如果说，是真正的学生们自己的节日的话。

不过，事实却相去甚远，在不少地方和学校，学生们的节日已不是属于自己的了，而是属于别人的，所企盼的节日成了“被节日”的展示，或成了其他早已失去节日快乐、失去课程意义的形式。

比如，学生们的节日成了为领导服务的一种存在。每逢孩子的节日，尤其是六一儿童节，领导们总是要深入学校，看望孩子、慰问孩子，表示节日的祝贺。而某些层级的行政部门为了让领导满意，总是要下达任务，布置学校组织学生排练节目、准备礼物，教师们认真，学生们顶真，一派喜庆的气氛。可领导们总是很忙，半天，至多一天，要慰问好几所学校，到一所学校只是有限的那么一小段时间，用蜻蜓点水描述，一点都不过分，学生们还没来得及汇报、表演，领导就匆匆离去。学生们的节日，究竟是谁的节日？究竟是为谁而存在的节日？当学生的节日为领导而存在的时候，还是学生的节日吗？还能真正体现领导对孩子的关心吗？学生节变成了“领导节”，可见以官为本的风气已侵入孩子的节日，这多可恶，又多可怕！

又如，学生的节日成了为学校提升美誉度的工具。毋庸置疑，学生们的表现，学生们的成果，包括学生们的过节，都是可以提升学校美誉度的。但是，学生永远是节日的主人，绝不是学校彰显特色的工具；学生们过节，幸福应当永远是目的，绝不是为学校争分添彩的砝码。可是，眼下的节日，有不少是为学校而存在的，是为比赛、争夺名次而存在的。这样的过节，已淹没了孩子自身的存在，消解了节日对于孩子健康、幸福成长的价值意义。这难道不应反思与批判吗？其实，不仅是过节，那种“今天，我为学校而自豪；明日，学校为我而荣耀”之类的口号，难道不应当检讨，不应当修正吗？

再如，学生的节日成了服务于写作文、得到好分数的一种存在。把过节的经历、体验作为作文的资源，本无可厚非。同时，这也恰好从另一个侧面反映了当下孩子生活的单一、枯燥、苍白。正因为如此，更有必要把孩子的节日安排好、组织好，更有必要丰富孩子的课外生活。若此，也就没必要把过节的目的定位在为写作文服务上了。为作文而过节，使过节异化为变相的上课，异化为应试的手段，这还有什么过节的意味和意义？即使过节有为写作文准备的目的，也应该把目的隐藏起来。“无痕的作文”，让过节卸下沉重的负担，让学生在尽情地过节中，获得心灵的解放，获得写作的灵感，使写作文成为心灵自由的流淌。这是一举两得的事，可当下的问题是，一旦过节就一定写一篇作文。

学生过节的异化，必然使节日变味。造成异化、变味的原因是多方面的，其中有我们不能改变的因素，但即使这样，我们也应该在检讨后尽力地改变。有时，我们改变了小环境，也会影响甚至改变大环境。由此，对学生过节的检讨——怎么让学生节日真正成为学生自己的节日，意义绝不仅仅在其本身。

也许到了该对学生节日重新定义的时候了。重新定义，意味着反思后的纠正，纠正中的建构，甚至可能是一种颠覆。不过，重新定义在本质上是重新回到原点。当然，这样的回归是对事物本质的认定，是一种新的想象和创造。

顾名思义，学生节日是学生自己的节日，是学生自己过节日，是学生为自己过节日。不言而喻，六一儿童节是学生们自己的节日，五四青年节是学生们自己的节日，所有的其他人都要向他们祝贺，都要为他们服务，而不是相反。

曾经看过一则报道，说的是法国学生的节日。法国学生的节日，很多不是由学校决定的，而是由学生自己决定的，于是就有了“不带书包节”“和蚂蚁做游戏节”“开玩笑节”“看星星节”“男孩节”“女孩节”……也许有人会说，这些节日有教育意义吗？在学生看来，过节首先不是有意义，而是有意思、快乐、有趣。意义是在有意思中产生的，没有意思的节日怎么可能有意义呢？最为重要的是，学生是学生节日的主人。我以为，这是对学生节日最为准确、最为深刻的定义。

学生是学生节日的主人，其内涵有以下几点要义。其一，学生是自己节日的创造者。学生节日大概有三种类型，一是法定的，二是学校规定的，三是学生自己规定的。无论是哪一种类型，学生都应是创造者，即使是第一、二两类，其设计、组织、安排，都应让学生参与，有的完全可由学生做主。其二，学生节日是为学生发展服务的。为学生着想，为学生发展服务，这是学生节日的宗旨，那种以“为学生服务”之名，行为领导服务、为学校服务、为他人服务之实的做法，都有违节日的宗旨，因而会异化、变味。为学生发展服务，并不排斥让领导满意、高兴，为学校添光彩，但这些都应当是“附加值”，而不应是主旨。其三，学生节日要从学生的经验和需要出发。学生节日既然为学生的发展服务，就一定要从学生的实际出发，即要充分考虑学生的实际情况，对他们的所思所想、他们的经验基础、他们的发展需求，都应深入了解、准确把握，否则，过节活动就会与学生隔着一层皮，不对接就不入心、不入情，这样的节日学生当然不喜欢，当然也不是学生自己的节日。

以上这些都可归结到一个问题，即学生是学生节日的主体。在理论上，主体是人，但人不一定是主体，只有当人成为活动的发起者、参与者、创造者的时候，人才会成为主体。这就不难理解，在什么情况下学生才会成为学生节日的主体，学生节日才会成为学生的节日。我以为，学生节日的设计、组织、安排、展开有一个学生立场问题。

学生节日成为学校课程，这是应该的，也是可行的，当然，其间有许多问题需要研究和解决。

日本教育家佐藤学认为，课程应当定义为“学习经验之履历”。他又据此具体地提示我们重新把握课程的三个视点：“第一个视点，要重新把握课程，教师自身首先必须摆脱‘公共框架’的束缚，根据自身的教育想象力与设计力，形成新的课程见解。”——这说的是“教师的课程”。“第二个视点，把课程视为课堂中引起的儿童学习经验之总体，应当根据学习的实际进行探讨。”——这说的是“学习经验之总体的课程”。“第三个视点，把课程视为师生的教育性经验的创造性手段和创造性经验的产物。”——这说的是“开放性、发展性的课程”。佐藤学用新的课程定义、新的课程视角鲜明地提示我们，学校课程必须突破原有的“公共框架”的束缚，从学生生活出发，建立新的课程框架。在新的课程框架中，学生节日应当占有一席之地。学生节日这门课程，以学生的学习经验、生活经验为基础，以学生的经历、体验、探究为基本学习方式。其突出特点是：体现学生的参与性和创造性，体现开放性、发展性，体现文化的多样性，在文化的熏陶中培植学生积极的生活态度和创造能力，弘扬社会主义核心价值体系。相对来说，设置这门新课程还不是困难的。最为困难也最为重要的是，对学生节日文化精髓的理解与把握。

学生节日是一种文化。

这是一种节日文化。这样的节日文化具有庄重、热烈、亲切的仪式感，在此基础上逐步建立起节日仪式。每一个节日仪式，都会发出文化的宣言和教育的承诺，建构起学生的社会责任感和人生责任感。

这是一种青春文化。这样的青春文化，洋溢着青春的朝气，向上、向前，蓬蓬勃勃，焕发着青春的活力，彰显着青春的魅力，迈着青春前行的步伐。

这是一种真正的学生文化。这样的学生文化，让学生有快乐的体验，拥有幸福的童年，在快乐与幸福中飞扬童年的梦想，建构美好的童年世界，在自己的世界里使自己一切皆有可能。

这是一种游戏文化。这样的游戏文化，凸显的是游戏的精神，旨在创造规则，提倡合作，让学生在自由中想象、探索、发现，创造新的世界。游戏精神犹如学生学习田野里升起的一轮太阳，照亮学生的心灵，为他们输送能量，让童年和青春在节日里腾飞。

学生节日原来是一个“小”问题，但“小”问题可以映射教育思想、教育理念。如今，我们把学生节日提升到课程文化来讨论，不仅对问题本身有意义，而且对课程建设和教育教学改革也是有意义的。

CURRICULUM

角落里的课程

角落，是孩子最喜欢的地方。每个孩子都有自己最喜欢的角落，而喜欢的角落里最容易诞生孩子的故事。

对孩子来说，角落就是他的世界，而且在自己的角落里，他可以创造最美好的世界，创造自己美好的生活。

可以说，有角落才会有真正的儿童，有角落才会有真正的世界，才会有属于儿童自己真正的创造。

于是，一所小学提出了一个命题：建构角落课程。我很赞同，因为角落里隐藏着课程的意义和儿童文化的密码。

角落课程丰富了课程结构，在课程世界里抹上了一道独特的色彩。国家课程、地方课程、校本课程，似乎成了课程结构的“铁三角”，但它们分别是国家、地方、学校开发的，其内在深处应是儿童。儿童是课程的学习者和课程资源，也应成为课程开发的参与者，同时，儿童还应成为课程的开发主体和创造者。让儿童去建构自己所喜欢的课程，这是课程改革中的应有之义。我们常说，儿童是学习的主人；也常说，我的天地我做主，这没错。既如此，为什么不大胆地让他们去开发和建构呢？这样，课程结构中丰富了一个层次，这样的课程结构更完整，更凸显了儿童的地位。

角落课程是儿童自己的课程。固然，国家课程、地方课程、校本课程都应是儿童的，但从开发主体看，它们都是成人开发的，负载着成人的意志，让它们成为儿童的课程，要做许多转化工作。而事实是，转化极为艰难，而且成效不大。这里，需要郑重说明的是，我们绝不是否定国家课程、地方课程、校本课程，只是倡导一个理念，那就是让儿童有发自内心喜欢的、真正属于自己的课程。这样，苏霍姆林斯基所言——“每一个学生有自己最喜欢的学科、最喜欢的活动”才会真正落到实处。

角落课程是宽泛意义上的课程，不必那么严格地去规范它。也许它没有明确的目标，没有固定的内容，也肯定没有那种“正儿八经”的考核、评价，不过所有这些，包括实施的计划，不是没有，而是儿童自己研究、确定的。因此，所谓课程的规范性不是从外部加进去的，而是从儿童的经历和体验中“长”出来的，儿童在开发课程中也在建构自己的课程规范。这一切，都从根本上落实了儿童这一主体，不过，学校对于角落课程不是袖手旁观，更不是“冷眼向洋”，学校的主要任务是支持、呵护、服务、引领，比如，那所学校准备研制“角落课程指南”和提供一个个角落，就是重要的工作。

儿童的角落会有变化。过段时间，原来的角落会被他丢弃，又去开发新的角落；角落也不只是一个人的，很可能是几个小伙伴合作开发的，而小伙伴也会在“解体”后再去建构新的团队；角落具有隐秘性，是“个体社会”，也会开放，从角落走向更大的世界。这样的动态性，成了角落课程的重要特点，也彰显了生命活力。

最后，我最想说的是，角落课程是个故事，这故事的主题是：让儿童成为课程领导者。

童话主题课程的开发

南京小天鹅幼儿园，我很喜欢。每次到小天鹅幼儿园去，总会有新的发现，新的想象，新的欣喜。小天鹅幼儿园犹如小天鹅飞翔在蔚蓝的天空，又犹如小天鹅歌唱、舞蹈的温暖摇篮。也许正是这一园名，对幼儿园建设、发展起着积极的暗示作用，园名本身就是一种乐观的期待，因而成了文化隐喻。

我喜欢的原因，还不只是园名，更重要的是小天鹅幼儿园的核心理念。他们的核心理念已形成了一种办园的教育主张，那就是用艺术来教育。用艺术来教育不仅仅是对艺术的教育，即加强艺术领域的教育，而且更深层的含义是通过艺术的教育。艺术，既是教育的内容，又是教育的手段和途径，而且是教育的境界。用艺术来教育，让小天鹅幼儿园的办园、教育有了崇高立意，站到了教育的制高点上，因而，办园特色是水到渠成的，也是不言而喻的。小天鹅幼儿园，坚持下去，极富特色的幼儿园育人模式一定会逐步建构起来。

用艺术来教育必须落实在课程上，否则是虚空的。在以往进行园本课程建构的基础上，近几年，他们着力进行童话剧主题课程的开发与实施。童话，儿童喜欢的文学类型，儿童与文学最亲、最近，童话与儿童最契合、最有天性上的一致性。儿童对人的认识、对社会的体验、对世界的发现，也包括对自己的认识，往往是通过童话来逐步实现的。在童话里，幼儿知道了什么是真，什么是假；什么是善，什么是恶；什么是美，什么是丑。与童话为伴，与童话为友，就是与光明、美好、善良、崇高为友为伴。其实，儿童本身就是童话，儿童的童年生活就是一部童话剧。让儿童演绎童话剧，就是儿童在表现自己的生活。在童话剧中，我们最能认识儿童、发现儿童。

在小天鹅幼儿园，童话教育常常以童话剧来呈现，童话剧成了小天鹅幼儿园的课程。这样的课程具有以下鲜明的特点。其一，有鲜明的价值取向，即有鲜明的主题。每一个主题都是让儿童在生动活泼中接受价值教育、情感陶冶，幼儿心灵在主题中得到滋养。一个个主题编织了教育蓝图。其二，童话剧课程是综合性课程。他们用主题将各种教育因素整合起来，其中有社会的、艺术的、科学的、语言的，还有健康的，各种领域的教育综合在一起，形成“统整性知识”，超越了领域，更超越了学科，超越了知识。综合性课程在儿童面前呈现了完整的世界。其三，童话剧课程是班本课程。根据园本课程的总体设计，各个班级从实际出发，开发儿童所需要的、具有班级特色的课程。这就调动了各个班级开发课程的积极性，提升了课程的研究力、创造力，班级成了课程创生地。其四，班本课程的开发意味着教师站到了课程规划、设计的前沿，教师成了课程领导者，小天鹅幼儿园教师的课程理念得到极大改变和提升。在教师开发课程的同时，儿童也必然参与到其中，儿童不只是课程的接受者，也是课程的开发者。

在小天鹅幼儿园的童话剧主题课程开发中，有一个十分重要的特点，即“基于儿童经验”。基于儿童经验，意味着不是基于成人的经验，而是站在儿童立场，以儿童的生活为源泉，以儿童的情感为纽带，以儿童的眼光看世界，以儿童的方式表现世界，让儿童成为童话剧的“主语”。这样的课程最贴近儿童，最能走进儿童世界，儿童最喜欢、最能接受。在我看来，童话剧主题课程是幼儿园赠送给儿童的幸福礼物。

十分可贵的是，小天鹅幼儿园童话剧主题课程有很高的研究价值，提高了课程规范性、科学化水平。活动缘起、价值反思、活动架构、活动一览表等，是一种顶层设计，实际是一种课程方案。

愿小天鹅更自由地在蓝天里飞翔。

CURRICULUM

课程改革:“回归”不是倒退

课改一定要“改课”。现实的、实际操作的课程是发生在校园、教室里的。校园、课堂不仅是所有课程的汇集地，也是所有课程的整合地，而且是课程的创生地；教学改革的深度推进，不仅能有效地体现、落实课程改革的理念、要求，更重要的是能完善、提升课程改革。我们不难得出这样一个结论：教学改革是课程改革具有实质意义的阶段和环节。今后，课程改革深化的一个重点应当是教学改革。

“改课”一定要在课改的语境下进行。“改课”是课改实施的一个途径和方式，自然要遵循并坚守课改的宗旨、理念、目标与要求。假若忘却了课改的语境，教学改革有可能发生偏差，逐步远离课改的框架，在另一种语境下进行。这不是不可能发生的事情。比如，有人很容易在“回归”的旗号下，有意或无意地回到课改前的教学状态中去。这绝不是我们所需要的教学改革。

的确，教学改革与教育改革一样，也和其他的改革一样，需要回归。回归就是要回到原点去，回到事物的本真状态，回到发展的规律上去。在回归的过程中，一定会有一种陌生感，由此充满新的想象，会有新的发现和创造。从这些意义上说，回归是另一种发展方式，可以视作是更为深刻的发展。因此，回归绝不是回到原来的状态中去，更不是一种倒退和“复辟”。值得注意的是，总有一些人，或因为认识上的模糊，或因为情感上的“别扭”，或因为实践中的困惑，以“回归”的名义，试图让课程改革、教学改革回到改革之前。关于学习方式的争论就是其中一个具有代表性的现象。

在不少场合，一些专家反复对自主、合作、探究式学习进行质疑。其基本观点是，接受学习应是中小学生主要、基本的学习方式，但课改以来对此重视很不够，甚至将其边缘化了；同时，对自主、合作、探究式学习过于重视和强调，从而挤掉、压垮了接受学习。他们也认为，自主、合作、探究式学习必须具备条件，现行的考试、评价制度、方法不改革，自主、合作、探究式学习是无法进行的；还有人认为，自主、合作、探究式学习是“贵族化”的学习方式，农村或经济不发达地区以及学习有困难的学生是不适合的。当然，他们的观点中还有一个理由，那就是较长时间以来，自主、合作、探究式学习中形式主义严重，往往是形式大于内容，是“走过场”式的学习，如此有何必要坚持？总之，他们主张，应当“回归”到课改之前的接受学习中去。这样的争论，经常发生。

争论不是坏事，而是好事，有不同的声音总比没有声音好，在不同的声音里我们可以发现一些值得深思的问题。关键在于，我们要从争论中辨别是非，明晰学理，进一步明确改革的方向。其实，在学理上，早就有学者对接受学习、发现学习的优点和缺陷作了剖析。施良方教授非常明确地指出：“接受学习受到很大限制，只在一定范围内可行”，“接受学习虽然有高效、系统掌握现成知识的功能，但是在培养学生的探究精神、创造精神，让学生掌握科学探究方法方面的作用明显不如发现学习”，“从某种意义上说，发现学习是接受学习的基础”。至于条件论、“贵族化”论，是站不住脚的，似乎无须多作讨论。这里要说明的是，我们不是只要自主、合作、探究式学习，而是说，这一学习方式我们尤为缺乏，也更为重要和紧迫，是今后教学改革必须坚守的。

格外应该强调的是，把教学改革作为课改的重点，如果不在课改的语境下，即不坚守课改的宗旨、课改的核心价值、课改的目标和要求，包括不坚守学习方式的变革，教学改革则有可能倒退，可能回到改革之前的状态去。若回到课改之前的状态，对以培养学生社会责任感、创新精神、实践能力为重点的素质教育的深入实施是极为不利的，必然会妨害学生的发展。同样的教学改革，在不同的语境下定有不同的境界、目标、方式和结果，“改课”在课改的语境下推进是不容置疑的。

CURRICULUM

体育艺术教育价值的再审视

至今为止，我在一些地区和学校，还不时听到这样的话：体育、音乐、美术是“小三门”，是学校里的“副科”。校长这么说，语文、数学、英语等学科的老师这么说，连少数体育、音乐、美术教师也这么说，尽管他们内心并不认同。在不少场合和一些文章里，我都批判过这一观点，但效果并不好，我很苦恼。

其实，无论是实践，还是理论，体音美的“副科论”都是站不住脚的。在课程世界里，所有课程都是平等的，不分主次，没有轻重，也不存在谁服从谁，谁补充谁，是考试的，还是考查的，是直接关系升学的，还是供升学参考的。借用弗里德曼著作的名字来说，课程世界是平的。这道理当然是对的，但为什么还是有人这么“执著”地说，体音美是“副科”呢？除了“说顺嘴了”、习惯了以外，应试的体制是根源。但是要知道，真正改变应试体制，有一个相当长的过程，我们不能消极地等待——学生德智体美全面发展是等不得的。在深入进行考试制度、方法改革的同时，我们还应寻找讨论、解决问题的另外视角。

一份材料和一本书对我触动很大。

一份材料是潘光旦的。潘先生是我国著名的社会学家、优生学家、民族学家，还是教育家、翻译家。他于 1913 年考取“留美预备学校”——

清华学堂，学习中他有志气、图上进。后来他回忆：清华学堂对于“学生的体育活动，几乎从开办之日起就用强迫的方式进行。学校规定下午四时至五时为强迫运动时间。到时，图书馆与全部课堂、自修室、寝室都给锁上，只有体育场与体育馆敞开着”。更有硬性规定：学生要取得“留美”资格，还必须以下项目要达标，“即跑得够快、跳得够高、游得够远……”。而且这一条章程执行得非常严格。不言而喻，这样做，清华学堂培养的不是“只会啃书本、足不出户、手无缚鸡之力”的书呆子，而是体格健壮、头脑聪明的学生。

这份材料让我们多了一种欣喜，也多了一份惭愧，当然也增强了我们的信心。近百年前，清华学府就把体育摆到了极高的地位，它们不是“小科”，是人人、天天必上的“大科”“强科”。历史证明，清华学子并未因为每天都有体育活动，而荒了学业，降了成绩。潘先生的回忆告诉我们，改变落后面貌，不一定等到体制改革了，而是事在人为，用“强迫”的方式。“强迫”，“逼”出了新制度，“逼”出了新天地，也“逼”出了课程世界的公平。如今，我们为什么没有这样的勇气和胆魄？为什么对“副科”不受重视的现象熟视无睹、司空见惯？问题不在教师，而在校长，更在教育主管部门，在政府。

一本专著是《通过艺术的教育》(湖南美术出版社，2002 年 2 月出版)。作者是英国著名的艺术教育家、诗人、教育与艺术批评家里德爵士。值得注意的是，他不仅谈艺术教育，更重要的是谈“通过艺术的教育”。艺术教育，显然是艺术本身的教育，而“通过艺术的教育”，是指所有的教育。里德认为：艺术应为教育的基础；所谓教育“可以界说为表现模式的培养，即教儿童和成人怎样造成声音、心象、动作、工具与器皿”，“一个能把这些东西做好的人就是一个受过良好教育的人”。这是因为，教育是个历程，“它们都是与艺术有关的历程”。最后，他的结论是，“艺术应为教育任何自然而崇高的形式”，“教育的目的就是创造艺术家——善于各种表现式样的人”。

应当承认，这是一派学术观点，也难免有所偏颇，但依我看来，里德开辟了一个新视角，从深处、本质处解读了艺术与教育的关系，艺术教育不只是教育的一个领域、一个学科，而且是教育的基础和崇高形式，“通过艺术”可以改造教育、优化教育，艺术教育应当渗透到所有学科，所有学科教育都应“艺术化”，即充溢情感、漫溢想象、富于创造，各科教育都在艺术的伴随下走进学生的心灵，走进知识的世界和智慧的天地。艺术是这样，那么，体育呢？我想，体育也同样如此。

这不过分，这些都不过分。是的，到了应该给体育、音乐、美术正名的时候了，让“副科”最终消亡，让它们堂而皇之、理直气壮地走到教育的中心来。

CURRICULUM

别了，“副科”

在中小学，常听到“主科”与“副科”两个概念。“主科”指的是语、数、外、理、化、生等，“副科”则指的是体育、音乐、美术等。一次研讨会上，一位体育教师说：“我教体育，是小科，没有什么发言权。”话中显现的不是谦逊，而是自卑，还有一点无奈，当然深处也有一点不满与抗争。

中小学真的应该有“主科”“副科”之分吗？回答是十分肯定的：当然没有，不应该有，也不允许有。既是如此，为什么常常冒出这样的区分来呢？从表面上看，是以课时的多与少来划定的。体、音、美等科课时少，自然被称为“小科”，进而被演化为“副科”。但是，往深处看，划定的标准，不只是课时的多少，而主要是由应试与非应试，尤其是由与升学考试的关联度来决定的。长期以来，无论是毕业考试，还是中考、高考，无论是调研考试，还是 PISA 测试，语、数、外等总是必考科目、必抽科目，渐渐地在一些校长、教师和家长心目中，它们成了“主科”，非抓紧抓好不可。而所谓“副科”则可抓可不抓，因为它们“小”，只是“副”的，是“次要”的，处于“附属”“附带”的地位。深究其因，还是应试的指挥棒在起作用。

中小学教育是基础教育，所有的学科都是为了学生基本素养的培养和提高打基础的，而基本素养没有高低之分、主次之别；人的素养是个结构，需要各方面素养构成，合理、完善、整体应当是这一结构的基本要求，互相依存、互相渗透、互相促进应当是这一结构的重要特征。课程世界是平的，所有课程是等值的。中小学的所有课程都是重要的，都是主要的，不存在谁主谁次，不存在谁服从谁、谁服务谁的问题。体、音、美不应因其课时少，而被贬为“副科”。课改至今，教育改革至今，如果还有“副科”的叫法，实在是一种遗憾。

体、音、美不仅不应是“副科”，相反，非常重要，其价值与语、数、外一样，影响着学生的当下的学习，也影响着学生的终身发展。陶行知早就明确指出：“我们每天应该要问的，是‘自己的身体有没有进步？有，进步了多少？’为什么要这样问？因为‘健康第一’。没有身体，一切都完了！”他进一步提出，要建立学生的“健康壁垒”，其中，体育是建立壁垒的重要支柱。他还指出，“健康是生活的出发点，也是教育的出发点”。“健康第一”“教育的出发点”的学科怎能是“小”的、“副”的呢？同样，陶行知还十分强调艺术的作用。他把美术称为是一种精神——美术精神，他称音乐是伟大的，他提出要把学校“办成一个诗的学校”……十八大三中全会提出要加强学生审美素养和人文素养培养，我们怎能离开艺术学科呢？不论从哪个角度看，体、音、美都应该是而且必须是“主要学科”。

长期以来的“副科”意识，让体、音、美成了薄弱学科，严重影响了学生身体素质、审美素养的提升，影响了学生全面素养的提升，我们不能让这种现象继续存在下去了。体、音、美老师们，我们自信起来，抬起头来，自豪地去建设体、音、美课程，努力地让自己也成为学校最受学生尊重和欢迎的老师。这样，我们就可以朝着在应试教育泥淖中徘徊挣扎、终致扭曲的音体美课程，自信而潇洒地挥挥手：

——别了，“副科”！

CURRICULUM

为了智慧的生长

——幼儿园课程的特质与旨归

常常想起爱因斯坦小时候的故事，因为这个故事具有教育学的意蕴，能够引发学前教育工作者对学前教育的想象与思考。爱因斯坦5岁时，叔叔送给他一件礼物——罗盘。不管爱因斯坦怎么摆弄，罗盘上的那根指针总是指着一个固定的方向。爱因斯坦认为罗盘背后肯定有一只手在操纵着那根指针，可是他始终没有找到。他苦苦地思索着……就在这时，爱因斯坦的好奇心、想象力一起觉醒了，这是多么神圣的时刻！爱因斯坦最终能成为举世闻名的大科学家，也许就是从小时候探索这个罗盘开始的。由此，我不禁想起了学前教育、幼儿园课程。学前教育的使命究竟是什么？幼儿园课程究竟应该带给儿童什么？幼儿园课程改革与建设的方向与路线究竟在哪里？思考爱因斯坦小时候的故事，我联想起哲学上的重要命题——智慧、爱智慧，我认为此命题正是幼儿园课程在精神层面上的意义追求。

一、幼儿园课程的特质与旨归：为了智慧的生长

子曰："知者乐水，仁者乐山。知者动，仁者静。知者乐，仁者寿。"智慧像水，在流动中逐渐生长起来。智慧的特质是动，它是流动的、灵动

的，甚至是灵空的。智慧的表情是快乐的，它能让人产生快乐、幸福的体验。从本质上看，“智慧与人生高度契合，相伴相随”，“智慧涉及人的理性、价值观和实践等多个层面，它对人的发展具有完整性、统领性和导向性的意义”，“智慧的自觉也就是人的自觉，智慧的自由也就是人的自由，智慧的解放也就是人的解放”。之所以对智慧的特质进行解释和概括，意在重新审视智慧生长与学前教育和幼儿园课程改革之间的关系，在精神文化层面上推动幼儿园课程的建设。

1. 幼儿园课程特质的重新认定：为智慧的生长提供机会

教育的根本旨趣与魅力何在？汤因比说：“教育不在于获得有用的知识或技能，而在于发展求知的能力；不在于学习，而在于达成理解；不在于获得信息，而在于完成智慧。”怀特海则认为，教育的“全部目的就是使人具有活跃的智慧”。子夏曰：“百工居肆以成其事，君子学以致其道。”孔子和他的弟子认为，知识分子求学，学习学术知识是一回事，通过这些知识的学习还要建立一个东西，这个东西无以名之，称之为“道”。一切知识学问都是为了“道”而学，都是为了培植这个“道”，知识学问本身并不是“道”。此“道”的深刻意蕴之一即是形而上的思想理念和智慧。智慧的生长是人生的追求，当然也应该是教育的崇高使命，学前教育、幼儿园课程的目的就是要去爱智慧，要去追寻智慧的生长。

课程是一种机会，幼儿园课程就是要为儿童提供智慧生长的机会：儿童本身就是缪斯性的智慧存在：儿童是自由的，在自由中体验童年的诗意，孕育创造的精神；儿童是探究者，在对周围世界和自身变化的惊奇与探寻中展现自己的天性和哲学思考，在解构与建构中表现自己的智慧潜能；儿童是游戏者，游戏丰富了儿童的天性与乐趣，建构起基于现实又超越现实的智慧文化。幼儿园课程的使命是保护儿童的天性，唤醒儿童心灵成长的力量：对儿童来说，课程不应只是规范的、严谨的科学世界，不应只是“一本 6 寸高 8 寸阔的书本世界而已”，课程不应是异己的世界，而应是自己能够在其中快乐成长的世界。幼儿园课程中，学习只是手段，成长才是目的，智慧的生长是幼儿园课程的价值取向，是幼儿园课程的特质与旨归。现行的幼儿园课程还没有真正为儿童提供适宜的智慧生长的机会，因此“为了儿童的智慧生长”的教学活动常常处于随意和盲目的状态。

2. 幼儿园课程的根本转向与改造：用智慧统领知识

在教育实践中，知识与智慧常常互相纠缠，甚至互相替代。然而，知识与智慧并不是等同的，知识与智慧的获取方式、内涵要素以及价值取向有很大差异，有知识并不等于有智慧。还是怀特海讲得好：“我非常希望你们铭记于心的是，虽然智力教育的一个主要目的是传授知识，但智力教育还有另一个要素，比较模糊却更加伟大，因而也具有更重要的意义，古人称之为‘智慧’。你不掌握某些知识就不可能聪明；但你可以容易地获得知识却仍然没有智慧。”

可以说，我国的幼儿园课程在一些地区，至今仍然是以知识为本位的课程，课程的骨架仍然是系统的学科知识，教师关注的仍然是知识的传授和积累，还没有意识到，或者虽然意识到了但还没有能力为儿童提供把知识转化为智慧的机会。这种“是什么”的课程造成了学前教育的小学化、功利化和非素质化倾向，这种幼儿园课程急需改革。

幼儿园课程改革的根本之处在于确立为儿童的智慧生长而教的宗旨和课程框架，用智慧统领知识，把知识转化为智慧，用智慧引领儿童的生活。对知识应抱持以下三种态度：需要时懂得到哪里去找；对各种知识作出严格的评估、选择；明白任何知识都不等同于真理，而我们热爱的只是真理。这不仅是一种对知识的态度，更是一种能力，一种善于用智慧统领知识的能力。这是与“是什么”的课程截然不同的“为什么”的课程。在一个个“为什么”的提问、思考以及动手实践中，儿童打开了心智之门，在好奇、好问、好动中促进了智慧的生长，幼儿园课程的智慧品格由此形成。

二、幼儿园课程智慧的提升：对儿童的再发现与再认识

1. 儿童是幼儿园课程的永恒主语

卢梭说：“人类的各种知识中最有用而最不完备的就是关于‘人’的

知识。”学前教育中最有用而又最不完备的知识就是关于“儿童”的知识。也正因为这样，我们常常像卢森堡批评的那样：“一个匆忙赶往伟大事业的人没心没肝地撞倒一个孩子。”这种对儿童的轻慢、忽视、熟视无睹常常使教育变得愚蠢甚至残忍。只有发现儿童，认识儿童，幼儿园课程才能真正成为儿童的课程，儿童才能成为幼儿园课程的永恒主语。

儿童是幼儿园课程的永恒主语，这句话具有深刻的意蕴。其一，幼儿园课程是儿童自己的课程。幼儿园课程应该站在儿童的立场上，用儿童的眼睛观察世界，用儿童的双手触摸生活，用儿童的心灵感悟人生的意义。在这样的课程里，儿童能够看到自己，认识别人，还能发现世界。儿童就是在自己的课程里慢慢长大，成为课程的主人，和教师一起创造自己最需要的意义世界。其二，幼儿园课程是为了儿童的课程。真正地为了儿童，就是为了儿童的兴趣、爱好和需要，就是为了让儿童健康幸福地成长；真正地为了儿童，就不能只为了儿童将来的幸福而让儿童当下不愉快、不幸福；真正地为了儿童，就不能拿成人的标准随便“修剪”儿童，“大自然希望儿童在长大以前就要像儿童的样子”。其三，幼儿园课程是从儿童出发的课程。只有从儿童出发的课程才是儿童自己的课程，才是为了儿童的课程。幼儿园课程的逻辑起点是儿童，幼儿园课程要从儿童的成长需要出发，基于儿童的生活，在儿童的生活中展开，引领儿童去创造有意义的生活。真正地从儿童出发的课程还必须认同儿童之间的个体差异，允许不同的儿童有不同的出发时间表和不同的行走方式。

2. 幼儿园课程中应该有三个“儿童”

“合理的儿童观往往与合理的成人观联在一起，如何看待‘儿童’涉及如何理解‘成人’；‘何为理想的儿童’同时也牵涉到‘何为理想的成人’这个不容回避的话题。”幼儿园课程中应该有三个“儿童”，分别是幼儿园里的儿童、教师心里的“儿童”和课程内容中隐藏的“儿童”，这三个“儿童”构成了新的、放大的儿童观。

教师是谁？教师也应该是“儿童”。蒙台梭利在《童年的秘密》一书中专门论述了成人与儿童之间的冲突，她非常明确地提出“作为一个教师的儿童”这一命题。马克思也说过类似的话:“一个成人不能再变成儿童,否则就显得稚气了,但儿童的天真不使成人感到愉快吗?他不应该在一个更高的阶段上把儿童的真实再现出来吗?”著名的小学特级教师李吉林称自己是长大的儿童。作为教育者,教师只有把自己当作一个儿童,才能走近儿童、发现儿童、了解儿童,才能有效提升教育质量。

幼儿园里还存在另外一个“儿童”,那就是课程内容中隐藏的“儿童”。加斯东·巴拉什在《梦想的诗学》中说:“任何梦想者的身心中都生活着一个孩子,一个梦想使之变得卓越而稳定的孩子。”课程编制者把自己对儿童的期盼寄托在课程中,运用各种方法将课程内容中的“儿童”展现在儿童面前。课程中的“儿童”非常真切、鲜活地存在着,儿童常常与课程中的“儿童”交谈、游戏,把自己的心灵秘密悄悄告诉他。

在建构新的儿童观的过程中,学前教育工作者要重新发现和认识幼儿园里的儿童,让儿童回到儿童的本初意义上来,让他们真正做回儿童;要赋予课程内容童趣的意义,让课程内容中的“儿童”鲜活起来、生动起来;要让自己从心灵深处蹲下来,变成长大的儿童,消除自己与儿童之间的隔膜与鸿沟。当然,教师和课程最终都是为儿童服务的,幼儿园课程的主语仍然是幼儿园里的儿童。

3. 让三个“儿童”在幼儿园课程中相遇与交谈

让三个“儿童”在幼儿园课程中相遇、交谈的关键是教师的地位与作用的重新定位以及立场与态度的转变。教师是三个“儿童”相遇与交谈这个共同体中的“首席”。教师的任务应当是唤醒儿童的耳朵与心灵,唤醒课程内容中的“儿童”的魅力,让儿童把幼儿园课程当作伙伴和朋友;尊重儿童,理解儿童,构筑交谈的平台,让儿童走到平台上来,成为真正的交谈者,而不是聆听者;组织交谈、交往活动,指导和引领儿童在交谈中发现对方、认识对方,在交谈中建构意义,进而认识生活,热爱生活,创造生活。如果三个“儿童”能够共同建构幼儿园课程的实施情境,又能在情境中实现共同发展,这实在是一种美妙的课程。

CURRICULUM

第四辑
课程隐喻：洞察与阐释

■ 隐喻比逻辑更有效。隐喻是生产性的，帮助我们看到从前所没有看到的；隐喻是开放性的、启发性的、引发对话的，具有联想价值。

■ 只有在“田野”里，才能呼吸到新鲜的“空气”，产生研究的激情，获取真实的信息，变革研究的方式，才能真正解决问题。

■ 课程——“跑道”，这一古老的概念，很经典，它用隐喻的手法，道出了课程的规定性，至今还承载着课程的基本意义。不管时代如何进步，课程如何改革，理念如何改变，课程的这一原义是不会改变的，也是不能忘却和丢弃的。

CURRICULUM

从内部“打破”是生命

——一个关于课改的隐喻

美国学者派纳曾提出课程“概念重建”，并以宣言的形式来推进。“概念重建”用日本学者佐藤学的话来说，就是“再定义”。我以为，基础教育课程改革正是一个“概念重建”抑或“再定义”的过程。

需要澄清的是，“概念重建”“再定义”绝不只是“话语”的变化，而是内在地包含着实践的变化。佐藤学说：“我把‘课程研究’视为这样一种探究：作为话语实践之构成、反思、审议教育的探究”，即使是话语，也是用话语去“构成实践”，“一连串用语所构成、所实现、所反思、所表达的活动，就是教育实践”，说是一种“话语性实践”。对此，我深表赞同。

的确，十年课程改革，我们的话语变了，理念变了，“概念重建”了，价值观重建了，更为重要的是，我们有了《课程纲要》引领下的切切实实的改革行动，我们实践了，“话语性实践”也发生了重大的变化。完全可以这么说，十年课改，广大教师正是用自己的实践表达了对课程的认识，对课改的热情，以及课程改革的创造性。从某个用度说，我们不仅在进行课程“概念重建”，而且正在进行课程意义的重建，正在进行自己生命的重建。而且，这种“话语性实践”还将继续深入下去。

新的十年课改开始了。如果以时间维度作一划分的话，过去的十年主要是以自上而下的方式来切入，架构了课程的价值观，明晰了课改的宗旨，搭建了课改的框架，形成了改革的思路，显现了“宏大叙事”的气象，当然也显现了“微观叙事”的深入与生动。那么，新的十年，我们以为应当是：在坚守价值和改革方向的同时，重点在课改的内涵上掘深与丰富，自上而下与自下而上相结合，更注重自下而上的研究、实践，以推进课改的再出发、再深入。

改革的力量往往来自生命的内部。课改既需要自上而下的推动，以外部力量来激发内部的活力，又需要自下而上的推动，用来自内部的力量来促进。这种内部力量才是持久的、强大的，更为有效的，也才会最终形成“课改自觉”，使课程真正发生在课堂里、校园里，使课改真正存活于师生的生活中，成为改革的“常态”。

李嘉诚先生曾用鸡蛋作过一个关于改革的生动比喻：鸡蛋，从外部打破是食物，而从内部打破是生命。他说，人生亦是，从外部打破是压力，从内部打破是成长。如果你等待别人从外部打破你，那么你注定成为别人的食物，如果靠自己从内部打破，那么你会发现自己的成长相当于一次重生，比喻极为深刻。课改亦是。课程改革如果能让广大教师靠自己从内部来“打破”，那么我们重新获得一次新的生命，在课程改革中不断成长。确实，新的十年，我们的任务是自己“打破”自己，因为价值已定，大局已定，课改的框架已定，我们完全有可能靠自己的力量去实践、去开掘、去完善、去丰富、去实现。

广大教师有自己实践课程最丰厚的土壤，那是一片希望的田野，也是最能实现理想的田野。教师成为这片“麦田”的守望者，以文化的方式来唤醒自己的创造活力，完全有可能成为课程的研究者、创造者。广大教师有自己最自豪的身份——草根。草根，质朴、真实、顽强，虽然有时默默无闻，但绝不是“沉默的大多数”。相反，以往“沉默的大多数”经历课改十年的洗礼已日趋成熟，在课改价值的引领下用自己的方式实践课改，真正成为课程领导者，发出最强大的声音。广大教师有自己的话语，这些话语是素朴、平实的，但鲜活、生动、深刻，源自内心的感悟，散发着田野特有的味道，揭示着课改本真的意义，显现着异样的精彩。

从内部“打破”，以此展开更新的课改之路，在路的那头，有着更伟大的未来。

CURRICULUM

回到“跑道”上去

在一次课改基地评审会上，学校进行申报陈述时最后说：让我们永远离开“跑道”，去探索、开发更为丰富多彩的课程。英语里，“课程”（curriculum）一词，原意是跑马道。他们的意思很清楚：要解放思想，大胆探索，去开发更加适合的课程，不再受“跑道”这一关于课程概念的影响与制约。

开发丰富多彩的适合课程，让学生有更多选择和发展的机会，这一主张无可非议。但是，真的要远离“跑道”吗？答案当然是否定的。

的确，课程原意为“跑道”，是很有深意的。其一，课程是“道”，揭示了课程的第一个规定性，即课程一定要有目的、有计划、有规划。这样，课程才会保持应有的规范性。其二，课程是“跑”，揭示了课程的第二个规定性，即课程还是个实施的过程，是学生学习的过程，是自主、合作、探究的过程。因此，课程绝不仅仅是教科书。其三，课程是“道”与“跑”的结合，是静态与动态的统一，这样，课程才是一个完整的过程，课程才真正拥有意义。

课程——“跑道”，这一古老的概念，很经典，它用隐喻的手法，道出了课程的规定性，至今还承载着课程的基本意义。不管时代如何进步，课程如何改革，理念如何改变，课程的这一原义是不会改变的，也是不能忘却和丢弃的。

现在的问题是，当学校、教师改革的积极性被极大地调动起来，课程开发呈现出丰富多彩、生动活泼态势的时候，还要看到存在的不足和缺陷，其中一个较为突出的问题是，课程开发仍然具有随意性。比如，以往的兴趣小组活动，变成了社团，原来的内容成了校本课程；一些学科拓展性、补充性的内容也被冠以课程的概念。这些“课程”，目标不明确，内容不具体，实施途径、方法也不清楚，缺理念原则，缺评价要求，缺课时保证，总之，不具备课程的基本元素和规范性，只是名称变换而已。严格说来，这些不能算作课程，当然也不可能达到应有的目标和要求。课程开发、实施的随意，势必让课程泛化，结果，学校的一切都变成了课程，诸如“用餐课程”“午睡课程”“早操课程”等。这样做，既没有必要，也不可行。泛化的结果可能带来课程的异化。

我们还是要回到课程原来的意义上，即回到“跑道”上去。回到“跑道”上去，就是回到规范性上去，回到课程应有的意义上去。课改的深入，既需要激情，还需要理性，提升科学化水平——我以为这是课改走向深化的一个重要标志。

CURRICULUM

经验，闪亮的课程拱门

杜威，进步主义哲学家。但他反复说明，讨论教育无须顾及一些“主义”，甚至连“进步主义”也不必考虑，而应当只思考教育本身的含义。教育的含义是什么呢？他坚定地认为，“在全部不确定的情况当中，有一种永久不变的东西可以作为我们的借鉴，即教育和个人经验之间的有机联系”，又进一步地说，“相信一切真正的教育是来自经验的”，因此，“新教育哲学专心致志地寄希望于某种经验的和实验的哲学”。显然，经验是新教育哲学中一个核心概念和核心理念，是他的教育哲学的主导思想。

一位教育哲学家也应当满怀诗情，甚至可以成为一个诗人。杜威为了阐释他关于经验的核心理念，引用了诗人的诗句：一切经验是闪光的拱门，辉映着人迹未到的世尘，只要我向着它步步靠近，那里的边缘便消逝无存。

精彩的诗句，深刻的论述。是的，经验应当是教育的拱门。毋庸置疑，经验也应当是课程的拱门，熠熠闪光，辉映着课程的发展之路。这一隐喻启示我们什么是课程，课程应当如何开发，那就是课程要从经验拱门出发，又回归经验拱门。经验之拱门，是课程的策源地。它指向人迹未到的未来，又消弭着现实与未来的边缘，让未来在现实中孕育，在现实中创造着未来。

这些话语不是无中生有的感悟，它实实在在地存活在教师的课程开发实践中。无论是柳州市弯塘路小学的“学生快乐访问日”，还是牡丹江市立新实验小学的“小小实验盆”，无论是北京市海淀区翠微小学的“玩”的课程，还是上海市浦东新区龚路中心小学的菜单式课程……无不充溢着经验的活力和魅力，把我们带向生活又引向未来。是经验，是实践，是生活，改变着我们的课程理念，改变着课程内容，改变着课程方式，当然，改变着“课程人”——教师正在发挥着经验之优势，成为课程的研究者、创生者，成为课程领导者。

教师们创造性的课程开发实践，还印证着以下一些“课程拱门”的基本思想。其一，儿童是课程的中心。以经验为基础的课程，应当是为儿童的，以儿童为主体的，绝不是为了学校的所谓“特色”所谓“声誉”。如果离开了儿童的素养提升、个性发展，课程就毫无价值和意义。其二，儿童是经验的创造者，亦应是课程的创造者，丰富多彩的综合实践活动，应以儿童的经验为基础。实践证明，“儿童是未被承认的天才”，恰恰在自己开发、参与的课程中，天才得到了承认。其三，以经验为基础的课程应当有鲜明的原则。杜威为经验规定了两条原则，第一条原则是经验的连续性，第二条原则是经验的交互作用。不是所有的经验都具有“生长”的意义，只有连续的经验才可能成为一种生长的推动力。经验的交互性，是为了让儿童在课程中与环境互动，又在互动中得以生长。杜威说得很清楚：“情景和交互作用这两个概念是密不可分的。一种经验往往是个人和当时形成他的环境之间发生作用的产物。”

经验，光亮课程的拱门，我们正在搭建，我们正在穿越，向着远方出发。终有一天，新经验带着我们荣归“故里”，在拱门下聚会，为经验拱门献上花环，接着，又一次出发，因为，一次抵达意味着新的出发。

CURRICULUM

课程文化：关于学习者的假设

课程是文化存在的一种形态和载体，课程本身就是一种文化；而文化之于课程，用布鲁纳在《教育文化》中的话来说，文化是描述和理解课程的一面镜子，用我们自己的话来说，文化应当是课程的魂灵，文化让课程有了更高的立意。不言而喻，课程改革不只是一种技术的革新，更重要的是文化的承继和重建。无疑，对于课程文化的深刻关注和深入讨论是课程改革中一个重要的命题。

见仁见智，是文化的一大特征，这是因为对文化的认知可以有许多视角，同时，文化本身也极为复杂。爱德华·霍尔有一个奇特的比喻与阐释："文化实际上是一座监狱，除非一个人知道有一把钥匙可以打开它。"这把钥匙是什么呢？他明确地说："的确，文化以很多不为人知的方式把人们联系起来，但文化对人们的控制只是通过习惯模式实现的。"接着，他进一步阐明："人创造出文化并不是用来窒息自己，而是要把文化作为一种介质，以便在其中生活、运动、呼吸、发展……"

我们不必纠缠于"监狱"这一比喻的理解，重要的是这几个关键词：方式、习惯模式、介质，以及前面所提及的镜子。这一切都离不开人，因为，文化的实质是"人化"。以文化人，这是"人化"的一层意思；另一层更为重要的意思是，人是文化的创造者。课程文化亦然，即课程文化可以改变人，塑造人，而人可以在课程的开发与实践中，在课程的学习中创造、发展文化。如果仍用镜子的比喻来理解，这镜子实际是一组透镜。课程这组透镜，反映了师生的生活，折射了社会和时代的理想，也透析了崇高的价值追求；同时，课程这组透镜也提供了行为方式，以此逐步形成习惯模式，最终使自己得以发展。所以，课程文化有一个信念系统，这个信念系统中有一个重要的假设，这个假设是关于人的假设。课程改革不能不重视这个关于人的假设。

需要进一步讨论的是，这个关于人的假设的核心是什么。无论是专家、学者，还是民间教育学（布鲁纳语）都认为人的假设的核心是关于学习者的假设：课程的编制者们、实施者们是如何认识和发现学生的？是如何理解学习的？学生是具有自己的兴趣和风格的学习者吗？学生有天赋吗？课程给学生们机会了吗？有些学生处在危险之中吗？学生需要什么样的课堂？他们喜欢什么样的教师？……如此等等，一系列的提问，都是关于学习者的假设。关于学习者的假设才会让课程站在学习者的立场上，从学生出发，基于学生，一切为了学生。这是教育立场，是文化立场。

但得进一步思考的是，关于学习者的问题是和教师的问题紧密联系在一起的。完全可以作这样的判断：有什么样的教师，就会有什么样的课程，有什么样的课堂和有什么样的教学，有什么样的教师，当然就有什么样的学习者。关于教师的问题归结起来似乎是：教师的身份与教师的智慧。卢梭曾经有个有趣的比喻：如果教师手里拿着一把锤子，就会把眼前的一切当作什么来对待？答案是，把一切都当作钉子来对待，即所有学生都成了标准件钉子，毫无个性差异，而且把学生钉进了木板，学生被束缚、被“揪死”。教师的身份绝不是拿锤子的人，教师的任务也绝不是钉钉子，教师的智慧在于解放学生，丰富学生的心智，转识成慧，让学生健康成长。之所以发生“锤子现象”，是因为对学生的假设错了，这一假设错了，课程与教学从一开头、一起步就错了，过程、结果“错了”那是必然的。我们必须牢牢记住关于学生的假设，课程、教学的全过程应当是不断认识、发现学生的过程。

其实，关于学生的假设与关于教师的假设是一体化的。弗莱雷曾经说过这样的话:“这里没有教师和学生，而只有‘教师学生’和‘学生教师’。”他所说的“这里”，是指课程教学中的对话。在对话中，教师成了学生，而学生也可以成为教师。这是一个互动、互惠的过程，这样的课程文化造就的是师生发展的共同体。也许，课程文化关于人的假设，最高境界正是“教师学生”“学生教师”的诞生；也许，这关于人的假设，尤其是关于学习者的假设，是课程文化基本的然而是重要的方式。

CURRICULUM

一条新的起跑线

《共同体》的作者、英国学者齐格蒙特·鲍曼在书中这样评述历史："历史的天使前进着，他的背部朝向未来，然而他的眼睛却盯住过去。"这话让我自然地想起了教育部基础教育课程改革教学研究成果的评奖。

基础教育领域课程改革教学研究成果的评奖，其意义是十分重大的。这告诉我们，"历史的天使"确实是前进着的，她让我们听到课程改革向前行进的坚定足音，让我们感受到课程改革所燃起的广大教师创造激情的温度，也让我们触摸到改革者们理论思维、实践智慧的深度。课程改革这一"历史的天使"不会向后倒行，一定会继续带领我们迈向理想的课程、理想的教材、理想的课堂，迈向真正的素质教育。

"历史的天使"背部朝向未来，眼睛却盯住过去，那是提醒我们不能忘记过去，不能忘记我们曾经走过的路，更不能忘掉我们是从哪里出发的。我们要从过去中汲取历史的养分，获取经验，生长新的力量。这么多年来，我们既有辛劳、奋斗的记忆，更有坚守与创造的体验；既有遇到困难、挫折时的困惑，又有重温《课程纲要》后的清醒与守望；既有取得进展、享受成绩时的喜悦，又有回顾、总结、反思时的沉静与信心。当我们眼睛盯住过去时，我们会从心底里冒出最真诚的话语：感谢这个时代，感谢这个时代带给我们的改革精神、创新动力以及实实在在的发展机遇。

眼睛盯住过去，背部却有炽热的火灼感，那是未来在向我们又一次发出深情的、急切的召唤。我们要贯彻实施国家《国家中长期教育改革和发展规划纲要（2010—2020 年）》（以下简称《规划纲要》），落实素质教育这一战略主题，努力完成提高质量这一核心任务，实现国家教育改革和发展更宏大的目标。任务是艰巨的。我们不能沉湎于过去的成绩之中，课改之旅要循着《规划纲要》所规定的方向走得更加坚定、更加科学、更加扎实，走得更高、走得更好。

在盯住过去与朝向未来之间，我们不妨把这次评奖和获奖看作是一条新的起跑线，看作是课程改革的再出发。我们面临着新的形势和新的要求。这条起跑线正向前延伸，也正向上提升。站在这条起跑线上，我们瞭望更远的前方，有更深刻的思考：教育是对未来的一种定义，课程改革、教学研究怎么给孩子们一个更好的世界，给这个世界培养更优秀的孩子？课程改革所预设的目标至今都是正确的，我们该如何步步逼近，把目标、愿景逐步变成现实？课改以来，一直有理念价值取向和技术价值取向，我们该怎样把理念价值取向摆到更高位置，又如何与技术价值取向相结合？课堂教学向来是课改中具有实质意义的环节，我们该如何深入进行研究，在课堂里发生更为深刻的、根本性的变革？教师专业发展的内涵相当丰富，我们该怎么促进教师教学风格的多样化以及名师更好地成长，推进教学流派的形成？

站在新的起跑线上，我们肩上有沉甸甸的使命感。但是，我们已做好了准备。课改这么多年来，我们已积蓄了能量，已端正了再次出发的姿势。站在新的起跑线上，就是一种选择，就是一种勇气，就是一种准备。我们准备好了，其实，我们已经出发了。这条起跑线，为我们铺展了一条深化课改的道路，接过获奖的证书，紧接着我们从起跑线开始了新的课改之旅，一直向前，在未来我们将会有新的进展、新的成果、新的荣耀。

感谢评奖为我们提供的这条新的起跑线。

CURRICULUM

课程：学生的起跳板

美国课程理论家多尔说：“隐喻比逻辑更有效。隐喻是生产性的，帮助我们看到我们所没有看到的；隐喻是开放性的、启发性的、引发对话的，具有联想价值。”我们完全可以用隐喻来描述进而阐释课程、教材、教学，让我们有更清晰、生动而又深刻的认识，并由此产生更丰富的想象。

苏霍姆林斯基对教科书有个精彩的比喻：教科书对教师来说只不过应当是随时准备弹离的跳板而已。接着他又说：“如果看到一位教师上课只是在那里忠实地复述教科书，那就可以断定，他的教育素养还很差。”显然，跳板只是工具，而不是目的。因此，不难理解，教科书只是工具、手段，只是载体、形式，绝不是教学的目的。目的是什么？是让学生准确地踩到跳板，跳得更高、更远、更好。目的与手段的关系是不能搞乱的。

教科书如此，那么课程呢？我毫不犹豫地予以迁移和引申：课程好比是学生随时准备跳离的起跳板。课程是神圣的，具有严格的规定性，但它仍然是工具，是载体，是手段。教师引领学生学习课程，是为了凭借课程起跳，向前方、向远方、向上、向外弹跳。换个角度说，让学生凭借课程弹跳、飞翔，而且跳得远、飞得高，才是课程伟大而神圣的真义。

既然如此，教师要思考的是，我为学生提供的课程合适吗？优良吗？

这块起跳板摆放的位置恰当吗？它的弹性大吗？学生助跑的方式正确吗？学生积蓄的能量足够吗？如此等等，考量的是教师的课程意识、课程理念、课程开发能力和实施能力。因此，教师要积极地去研究课程、开发课程、创造课程，创生适合班级的、适合学生的课程。

同样，这一隐喻让学生思考的是，什么样的态度才是对待课程的正确态度，什么样的方式才是学习课程的合适方式，什么样的品质才是学习的良好品质。对待课程，学生要敬畏，因为它是人类千百年来知识的结晶，寄托着民族的、人类的期望。但是，敬畏绝不是崇拜，更不是迷信，相反，学生可以大胆质疑，可以想象，可以创生，可以改变，因为它只是一块起跳板而已，我们的目光不应只是在跳板上，而应当在前方，在上方，在远方。

隐喻可以引起想象和更深的思考。课程是块起跳板，那么，把它比作输电管呢？比作田野呢？比作地平线呢？……我想，是完全可以的，而且是精彩的。这些完全是内心对课程认识的映射。不仅我们自己，也需要学生这么去想象，去映射。

CURRICULUM

走进“田野”

这个题目，不是对学生教育而言的，我想说的是当前课程改革中教育科研的走向和方式的变革。

国外人类学与社会学非常重视和流行“田野作业”，比如“田野考察”“田野调查”“田野描述”等等。我以为，这儿的“田野”已不仅仅是“野外”的意思，实际上已成了“现场”的代名词。称其为“田野”，无非是说其是真实的、原本的，甚至是原始的；是开放的、丰富的，甚至是彻底敞开的。因而，这种“作业”，是实打实的，而不是空对空的。只有在“田野”里，才能呼吸到新鲜的“空气”，产生研究的激情，获取真实的信息，变革研究的方式，才能真正解决问题。一种新理论的生长点，不是在书房中，而是在“田野”中，在实践中。

其实，教育科研也必须走向“田野”。课程改革的一个重要任务就是要将理想的课程、正式的课程转化为运作的课程、教师领悟的课程，最终转化为学生体验的课程。学生学习的场所就是课程改革的“田野”，就是教育科研者所要奔赴的地方。在这里，有多少鲜活的思想和经验在涌动，等待着我们去发现和提升，又有多少困惑和困难，等待我们去研究和解决。课程改革不能仅仅停留在“理念”和“通识”上，更多的是如何具体设计，如何实际操作，如何改变教与学的行为。走进“田野”，就是真正走进课程、走进课堂，也只有这样，中小学的教育科研才能走进教师的心中，才具有亲和力、凝聚力，才能真正成为生产力。

“田野作业”，要注重“现在时”和“在场”，教育科研工作者和校长、教导主任要有更多的“在场时”和“在场感”；“田野作业”，要注重真实感，不粉饰，也不探进，从“田野”里获取第一手资料，据实记录，据实研究；“田野作业”，要注重个案研究和行动研究，增加“浸入”的时间，增进“浸入”的程度，实现从个别到一般，从行动到认识的飞跃；“田野作业”，更要注重教师的作用，教师即研究者，让教师去叙事、去分析、去研究，甚至让教师“内心独白”。

当然，“田野作业”还不能停留在现场的“白描”上，还要离开“田野”去进行反思和“深描”。“白描”需功夫，“深描”更见功力。但是，离开“田野”是手段，其目的还是为了“田野风光”更美丽，因而离开是暂时的，“在场”是永远的。

其实一切课程都应在“田野”里发生，这样的课程才最具生命的活力。

CURRICULUM

学校地理形态的课程遐想

江苏有三所学校建在高坡上，走进学校要向上走过较长的一段路，有的还很长。特殊的地理位置，造成了学校特有的形态，彰显着特殊的文化意义，那高坡成了学校的文化符号。

一所是南京市力学小学，是爱国老人邵力子、傅学文创建的。顺着马路往上走，要经过近 20 级台阶，名副其实的拾级而上。一小片广场上，两位老人的雕像栩栩如生，慈祥的目光，注视着每一个从他们前面走过的人。“力学”取自老人的名字，成了学校的校训：努力学习、学会学习、创造性学习、享受学习。

一所是南京市拉萨路小学，建在五台山上。进学校，要经过一个很陡很长的坡，他们称为百步坡。百步坡，象征着向上、攀登的精神，坚韧，永远向上向前，向上向前就是向善、向光明、向更高境界。师生们都喜欢百步坡，学校里有百步聊吧。百步坡上语文人，百步坡上的青春相遇……百步情怀与百步精神成了拉小人永远的文化追求。

一所是淮安的盱眙中学，建在山巅，到了山顶就到了学校。从山麓到山顶有五百米，师生每天上学都是一次登山。就在山麓的入口处，学校竖了一块石碑，上书：“登山——这是你每天必修的第一课。”走进学校，你会看到几个字：制高点。是的，登山，必定让学校发展站在制高点上。制高点，不只是那山巅，更具文化意义：文化的进步让学校走向发展的最高境界。

三所学校相似的形态景观，引发了我的思考：我们的课程应当是什么形态的？什么性质的？应该具有怎样的功能？诸多视角中，地理情态应处在什么样的位置？

首先是地理。黑格尔有个著名的论断：在人类历史演进的进程中，有一个重要的基础，那就是地理。所谓一方水土养一方人，即是此意。学校不可忽视学校所处的位置，那山，那坡，那水，那树，那房，那石，那桥，那亭……无不是课程资源，无不可以开发成课程。这样的课程亲切、自然，每天每日都会浸入我们的生活。它无言但不失语，它质朴但不失内蕴。在许多许多年后，学生们记住的恰恰是它们。

其次是山坡。在山坡上行走，是登山，是攀登，是向上。这是一种向着理想进发的价值诉求。课程是价值的载体，课程也是为了塑造价值，无论是开发课程，还是实施课程，都要让价值置于制高点上，引领、渗透。价值，是在事实、现实面前竖起理想的旗帜，有了理想的照亮，事实、现实才会进入价值领域。课程文化永远是价值追求的过程。

再次是阶梯。拾级而上，意味着知识的阶梯、进步的阶梯。阶梯也意味着有序、提升，因而它是规律的象征。中小学的课程实质上是阶梯课程。遗憾的是，当下的课程梯度不明显，有的过于大，有的则偏小，有的要让人跨上几步。可见，对规律，对学生的认知规律，对知识分布的规律，我们还没把握准。

每当走进一所学校，我总是把目光投向学校的地理形态，它们引发了我对课程的遐想。

CURRICULUM

附录　成尚荣：为拉小讲故事的人

一晃，认识成尚荣先生已经二十多年了。

学校里的教学楼已今非昔比，可爱的孩子们毕业了一届又一届，团队里的新人来了一批又一批，唯独先生的品格、先生的睿智却一直在拉小，有形，有情。先生是我们的偶像，我们是先生的粉丝，哦，是钢丝！先生领着我们，讲着故事，在岁月里慢慢磨砺，拉小也慢慢长大……

故事在继续——

2002年，“智慧”二字还躺在字典里，没有多少人关注，先生却讲起了智慧的故事。教育是需要智慧的，智慧孕育着儿童的自由、快乐、创造，由此，拉小的智慧教育诞生了，并且形成了智慧拉小的教育品牌……

2005年，课程改革刚刚开始，先生让我们研究儿童的生活，让孩子们在无忌的童话中绽放如花的笑颜，五彩缤纷的课程世界“智慧园”的故事开始了……

2009年，国家级课题“小学智慧教育的实践研究”以优秀结题，先生认为，更重要的是通过结题我们看到了什么，想到了什么。于是，建构智慧学习共同体，学生、老师、家长，集团、联盟，“大家一起学”，从知识到智慧，从X中选择有价值的学习……

2012年，拉小50周年校庆，先生的新作《百步坡，一种隐喻和记忆》感动了所有的拉小人。他说，拉小故事的主题是“百步”，百步坡上留下的一个个脚印，串起了拉小的历史，也支撑起拉小人的精神高地。他还说，拉小的故事是一种记忆，这是一种暖记忆，暖记忆中有爱意，有幸福……

2014年，教师发展日的活动现场，老师们和先生分享首届基础教育国家级教学成果获奖的喜悦。先生称赞，“项目驿站”是智慧教育现场中的发现与创造，是教师发展的一种全新视角和范式。其实我们知道，每一个项目，每一个驿站都凝聚着先生的心血、希望……

故事还在继续——

先生是老师的老师，老师们常说，先生的头脑是特殊材料制作的，我们倾心于他的教诲，开心于他的认可，感念于他的帮助！

他常常静坐课堂，倡导看得见的儿童，看得见的学习；

他常常浪漫教学，浪漫中的教学又始终是一个完整的概念；

他常常倾心教师，独唱者的旋律，铺就了与风格同行的培养之路；

他常常精心呵护，慧学慧玩慧生活，演绎了拉小的大智慧；

他常常深刻解读，活动性学程是一种教学文化，点燃了创造力的开放；

他常常灯光陪伴，对无数稿件、案例进行修改、批注；

他常常搭建桥梁，全国最优秀的学校是我们牵手的伙伴；

……

那年，学校党支部举行“我的青春时代”的活动。先生戴上鲜艳的红领巾，笑着、聊着他的故事，在一个又一个情真意切的故事里我们恍然穿越到另一个时代。年轻的老师们笑嘻嘻地问：“先生，您是长大的儿童吗？”先生的脸上浮现出生动的笑意，还藏着几分顽皮：“我啊！大小孩，老顽童！”2016年六一儿童节，三年级的孩子们举行冷餐会，先生听说了，就发来短信："哎呀，怎么不邀请我呢？我也10岁啊……"

故事仍在继续——

先生喜欢孩子，为孩子们写了很多故事。这些故事，都记录在一本叫《智慧》的拉小的校刊上。

先生和小朋友谈读书，讲了《书桌的故事》："书桌要放在七个地方：放在天安门城楼上——自己的学问要和祖国的心脏一起跳动；放在太平洋的孤岛上——有安宁的心，才能静静地读书；放到南极去——考验人生的最大极限……放在故乡的大地上——怀着乡情走向世界各地。"

先生和小朋友谈学习，讲了《洞的故事》："印度新德里的一条街上，开了一个方形的洞，洞里镶嵌了一台电脑。孩子们被这个新鲜玩意儿吸引了，开始胡乱触摸……三个星期后，孩子们竟然都学会了上网。请问，这些孩子在学校吗？不在。他们在不在学习？显然在。"

先生还和小朋友谈《暑假的故事》："快70岁的人了，还常常在梦中回到孩童时代去：烈日下，躺在庄稼地里，'偷'摘蚕豆；躺在小河边，仰望蓝天里白云的变幻；躺在竹榻上，听着奇妙的故事，不知什么时候睡着了……真想和你们，再过一回暑假，再做一回孩子。"

还有《汤里撒盐的故事》《中国儿童步伐的故事》《百步坡的故事》……孩子们每拿到新一期的校刊，叽叽喳喳的小嘴便要休息一会儿，捧着新书静静地看。再过几天，走廊上，书桌前，还有小花园的水池边，你就会听到故事里的话题，有了新的创意和理解。

一晃，二十多年了，先生于拉小，不离不弃，支持给力，如同温暖的阳光；拉小于先生，不敢懈怠，百步向上，如同蓬蓬勃勃的绿林！

先生，拉小！拉小，先生！就这样缠缠绵绵，笑声荡漾在春日的绿意里，先生和孩子们、老师们漫步在校园中，这实在是百步坡上独有的温馨画面。

拉萨路小学校长　严谨

后记　我们

“我们”，一个普通的日常用语。不过，如今的“我们”已超越了一般意义上的人称代词，成为一个具有现代意义、充满文化张力的概念。其实也不是什么概念，而是更具亲和力、更具自豪感的团队认同。因此，“我们”是一种“我们感”。“我们感”首先是一种集体感，而这种集体感里透射出责任感、使命感乃至力量感。团队的所有成员，无论是局长、校长还是教师，无论是指导专家还是区域和学校，都应该这么自我认定“我们”。

“我们”让我们想起了共同体。齐格蒙特·鲍曼在《共同体》一书的“序曲”中这么说：“‘置身于共同体中’，这总是好事……我们认为，共同体总是好东西。”共同体好在哪里？好在志同道合——这样的聚合，不是强制的，而是自愿的；不是行政式的，而是草根式的；不是貌合神离的，而是发自内心的。齐格蒙特·鲍曼研究的结果是：“它所传递出的所有含义都预示着快乐，而且这种快乐通常是要我们去经历和体验。”

课改联盟正是这样的共同体，持续深入地进行基础教育课程改革，促进学生的素质全面发展，为振兴中华民族而奠定基础，是这一共同体的目标、心愿和信念。正是这样的目标、心愿、信念，把大家召唤到一起，凝聚在一起。在这样的共同体里，为着基础教育课程改革的再一次出发，为着课改的一以贯之和与时俱进，我们怀着快乐的心情，齐心协力，群策群力，深入研究，全力推进。我们是坚定的“我们”，始终充满着乐观的期待——“我们”在共同体里进步。

文化是复数而不是单数，因此，文化是“我们的”。“我的”绝不会成为文化，也绝不会推动文化的发展。正是“我们”，让文化成为一种力量，才会使恩格斯的“文化上的每一次进步，都让我们向自由迈进一步”的判断，不断得到印证和呼应；正是“我们”，让约瑟夫·奈提出的“软实力”在我们本土得以体现和发展；也正是“我们”，让联合国教科文组织的“用文化来定义发展”的论断得到生动而具体的实现。联盟追求、建构的正是一种文化，我们追求的是教育变革的文化、新课程文化，当然更是一种创新的文化。在文化的建构与发展中，我们可能很“草根”，但绝不是“沉默的大多数”，相反却很有可能酝酿和形成英雄文化，因为时代需要英雄文化，课改也需要英雄文化的引领。其实，新课程正培育着变革、进步的英雄文化——“我们”是英雄文化的倡导者和培育者。

如果说世界是平的，那么，我们完全可以认定在课程世界里，在课改的世界里，也是平的。“平”绝不意味着没有崎岖，没有风浪，没有障碍。一帆风顺不是“平”的真正意蕴，相反我们倡导合作，也许还是俄国一位心理学家说得好：今天我们学会了合作，明天就会有竞争力。他是针对学生说的，对于我们不也是一样吗？合作让地球“平”，合作也让联盟“平”，况且，课改本身就是倡导新的学习方式，正是课改所倡导的这种自主、合作、探究的学习方式，孕育着民族的创新精神、创新能力和核心发展力。联盟是平的，心是相通的，经验是共享的，问题是共同研究、逐步解决的。联盟里，我们培育着人类最美丽的合作之花——“我们”是美丽的。

中国古典诗词十分重视“共感”。我们需要“独感”，那种“独上高楼，望尽天涯路”的慎独之感让我们心灵静下来。不过，我们更需要共感，因为共感让我们更有温暖的感觉，也更有强大的感觉。值得说明的是，“我们”并不排斥“我”，相反，联盟提倡和而不同，提倡个性，提倡个体知识和个体价值。共感和独感的结合，“我们”与“我”的统一，定会使联盟呈现丰富多彩、生动活泼的局面。

课改者都应当是“我们”。“我们”，在课改中闪烁着不平凡的光彩，这就是联盟的真正价值和深远意义。